CW00394599

阶梯汉语
STEP BY STEP CHINESE

中级阅读
Reading
Intermediate

1

本册主编
徐霄鹰 刘若云

刘若云 张世涛 徐霄鹰 吴门吉 编著

First Edition 2004
Fourth Printing 2009

ISBN 978-7-80052-978-8

Published by Sinolingua
24 Baiwanzhuang Road, Beijing 100037, China
Tel: (86) 10-68320585
Fax: (86) 10-68326333
http://www.sinolingua.com.cn
E-mail: hyjx@sinolingua.com.cn
Printed by Beijing Foreign Languages Printing House
Distributed by China International
Book Trading Corporation
35 Chegongzhuang Xilu, P. O. Box 399
Beijing 100044, China

Printed in the People's Republic of China

编写及使用说明

本教材的使用对象为把汉语作为第二语言来学习的外国学生。具体地说，是在全日制学校学过一年（约800个学时）汉语的学生，基本掌握《高等学校外国留学生汉语教学大纲》的初等阶段汉字、词汇和语法项目，汉语水平考试达到三级。

本教材分四册，每册15课，全套教材共60课。课时安排为两个课时一课，若每周4学时，一学期可完成两册。

一、每课具体教学安排

每一分册除了第15课为总复习课外，本教材每课均分为技能和阅读训练两部分。

（一）技能

技能部分又分技能说明和技能练习两部分。技能说明的主要目的是帮助教师教学，但为了帮助部分自学者学习，我们尽量使用简单的汉语。在课堂上，教师不应要求学生预习或阅读技能说明部分的文字。

在教师经过简单讲解后，即可进入技能练习部分。大部分练习的题量比较多，希望能为教师提供足够的选择余地。

练习的目的是训练学生的各种阅读技能，但训练任务的总出发点可分为两类：一、以语义为重，这类训练题目一般是要求学生通过阅读达到对目标字、词、词组的意义理解，我们为目标词提供了难度相对较低的语境，以保证语义理解的效率；二、以语法为重，这类训练题的目的是通过阅读强化学生对汉语的词法、句法、篇章构成等的认识和敏感度，我们适当提高了这类题目的语境难度，以保证学生的关注点集中于某些语法点，如助词、连词、介词、平行结构……等。教师应针对不同的任务出发点，指导学生采取不同的阅读策略，正确地安排阅读重点。

（二）阅读训练

本教材的阅读训练部分基本由四篇语料组成，第一册语料长度大多在200～500字之间；第二册以400～500字为主；第三四册保持在500字左右。在词汇难度上，本教材进行了较为严格的难度递进控制：第一册，生词量从5%过渡到10%（生词占语篇总词语数）；第二册，生词量从10%过渡到15%；第三册，从15%过渡到20%；第四册，从20%过渡到25%。

阅读方式以通读训练为主，配以少量略读和查读训练。理解题目的类型以多项选择为主，一个语料一般有4～5道左右的理解题。

另外，为了配合复习技能训练以及突出阅读中的伴随性词汇学习，也为了更好地活跃阅读课的课堂氛围，在一部分语料的练习中增加了“词汇讨论”和“内容讨论”两种输出性训练项目。

总体而言，本教材阅读训练的练习量大于以往的同类教材，如此，也为教师提供了足够的选择余地。

二、关于生词安排的说明

本教材的另外一个特点是严谨的、对使用者友好的生词处理。

我们对照《高等学校外国留学生汉语教学大纲（长期进修）词汇表》，把每篇语料中级及以上词汇都列为生词并找出来，而后将其分为两部分处理：第一部分是对阅读理解很关键的，或是学生应该在本阶段学习的中级词。这些词，我们给出了规范完整的注释，在注释时，尽量给出简单易懂的汉语释义；第二部分生词是与阅读理解关系不大的，或是易推测词（语素透明度高、语境线索明确），我们把这类词列在第一部分生词后面，只给出拼音，如使用者确实想知道其确切含义，可更方便地查阅字典。

上述做法使本教材每篇语料后面的生词部分规模显著大于以往的同类教材。但我们认为，阅读教学时不要求教师讲解词汇，因此，这样的处理不但没有加重教学负担，反而方便了不同水平的使用者。假如使用者水平高，他不必参考生词部分；反之，他可以得到更全面更方便的帮助。尽可能使他们不再因为查字典而降低阅读的速度和兴趣。在不得不查字典时，则为他们降低查字典的难度。而且，列出所有生词实际上是增加了学生对这些词汇的注意。

同样出于对使用者的友好，我们对复现的生词没有按常规做删除处理，而是根据上述标准，允许其重复出现。这样做的理由有二：第一，以往删除的理由是已经出现过就不是生词了，可实际上，即使是精读课文讲解过的生词，过了一段时间以后，学生的遗忘率也相当高，没有理由认为学生在看过一次生词之后就能够准确地再次认出它并成功回忆其意义。第二，以不同方式增加词汇的出现频率，能加强学生对生词的注意。

这样处理的结果就是，前一课出现的生词可能在下一课也重复出现，前一册出现的生词可能在下一册也当成生词重复出现。我们认为这是符合教学实际的，这样除了以不同方式增加词汇的出现频率，加强学生对其的注意以外，还因为在教学中学生可能使用的是四册中的任何一册，这样每一册的生词对学生来说可能都是全新的。

对于专有名词，本教材安排如下。

1. 在生词表里列出重要的，与理解关系密切或是承载了理解所需的重要的背景知识的专名及其说明。
2. 对于一般的人名、地名、组织名等，处理方式也有不同。第一册中，我们对一些专名在文章中第一次出现时以斜体标识出来，以期引起学生注意；第二册，只标识较难识别的此类专名。
3. 专有名词不在最后的生词表中出现。

三、新增加的训练项目及内容

为了方便教师和学生的使用，使教材更新颖更灵活，本教材还增加了三个方面的内容。

第一，每册教材安排了5个“读后说”训练。每个“读后说”训练都由主题相关的3～4个100～200字的难度较低的短语料组成，要求学生分组分篇阅读，然后各自在组中介绍所读内容大要。这一安排一方面能够训练学生阅读后的归纳能力，一方面也打破阅读课的纯输入局面。

第二，每册教材安排了7～8个“看照片”。每张照片上都有常见的街头语言文字现象，学生通过“看照片”，不但能提高他们在日常生活中随时随地阅读的意识，也加深了对中国语言文化习惯的了解。

第三，每册教材后面都附了15篇阅读材料，难度稍大，教师可以安排阅读能力突出的学生在课堂上阅读或课后阅读，以解决少数阅读能力强的学生在阅读课上“吃不饱”的现象。

目录

CONTENT

第一课

一、技能

阅读的四种方式

我们每天要看很多不同的东西，而看这些东西的目的是不一样的，这样，看的方式也就不一样。阅读课上进行的阅读跟精读课不一样，它不需要每字每句都弄明白，但需要读得更多、更快。按照一般的分类，阅读课上的阅读可分为通读、略读、跳读和查读四种。

（一）跳读

每当我们拿起一份新报纸，总是会一张张先翻一遍，大致了解一下头条新闻是什么，体育版的、娱乐版的，接着是国内新闻、国外新闻……然后我们才决定拿哪几张进行进一步的阅读——这个翻报纸的过程就是跳读。

（二）略读

现在，我们把国际新闻拿在手上，国际上发生了很多大事，各类专题报道足足有2大版……我们可不想花上一个小时看报纸。怎么办？

这时，我们可以进行略读：就是把文章很快地、一目十行地读一遍，虽然很多细节、故事都被略过了，可是我们能够了解文章的要点。用了十五分钟，我们就知道了这一天世界各地都发生了什么大事。

（三）查读

也许你是中国队的球迷，昨天没时间看中国对巴西的比赛转播，所以你打开体育版，直接找“中国队”“巴西队”……不出1秒，你就找到“中国0：4负于巴西”，你一生气，就把报纸扔在地上。

这就是查读。在体育新闻里找比赛结果是对成文资料进行的查读。而给你一本学校的电话号码簿，请你把教阅读课的老师的电话号码找出来，这是另一种查读——对不成文资料进行的查读，查看号码本、时间表、地图都属于这一类。在生活中，我们常常使用查读以获得我们需要的信息。

（四）通读

你喝完了咖啡，想想，中国队输给巴西队没什么可生气的，巴西队是世界第一啊！中国队表现得怎么样？谁进的球？于是，你捡起地上的报纸，找到了比赛的详细报道，开始了——通读。通读就是把文章从头到尾、大概地读一遍，要求既能抓住文章的主要观点，又能掌握比较重要的细节；既能明确文章的层次结构，又能理解主要的具体的描述；既能明白作者的想法，又能看出他的态度。在通读的过程中，一定存在生词、难句，但这些障碍不应该影响读者达到上述的要求。

现在你知道90分钟比赛的大致情况了，两队的表现，观众的反应，还有谁、什么时候进的球……“蔑视”是什么意思？没学过，不过，看得出来，在踢球方面，巴西人看不起中国人。

在这本教材里，大部分文章都要求读者进行通读，有一些文章则要求读者进行另外三种阅读。但如果老师不告诉你使用哪一种，你能看出来吗？

下面我们就先试一试。

练习

一、你认为你使用哪种阅读方式，就可以回答以下这几个问题？

1. 这篇文章主要讲什么？
2. 这篇文章从几个方面讲它的主要内容？
3. 想知道男性看女性的顺序，应看第几段？

男女的差别

男性和女性，在不少方面都有差别。

首先，他们看东西、看人的方式就不一样。喝水时女性常看周围的人，男性则常看着杯子。男性喜欢欣赏美丽的女性，这是一种天性，不一定是见异思迁。女性则常常因为丈夫看别的女人而不高兴。男性看女性，顺序大概是：脸、头发、胸部、服装、腿、腰部、臀部、手袋；女性看男性，顺序大概是：脸、头发、上衣、领带、衬衣、鞋子、腹部、皮带、手表、前半身。从这我们可以知道，男性比较注意女性的身材，而女性比较注意男性的衣着。

其次，他们的心理和解决心理问题的方式也不一样。男性有一种"儿童心态"，女性对这种成年人还满身孩子气则很难容忍。女性比男性更容易高兴或变得不高兴。女性结婚、生孩子、找到理想的工作时，一般比男性更高兴。但是，如果情况变坏了，她们也比男性更难受。大多数女性喜欢把生活中的烦恼告诉自己的丈夫或者知心朋友；而大多数男性则喜欢把烦恼藏在心里，不愿意告诉别人。

（根据《长沙日报》2003年1月25日文章改写）

二、你认为你使用哪种阅读方式就可以完成以下填空？答案可在文章里划出来。

1. iPOD是Apple公司生产的__________播放机。
2. iTunes是一种______________________________。
3. iPOD的五个按钮是：______________________________和Enter。
4. iPOD__________PC电脑。
5. iPOD有5GB的__________。

APPLE的第一款MP3播放机iPOD

今天Apple宣布这款产品的时候，很多人都觉得非常惊讶。出现在人们面前的不是PDA，而是MP3播放机。

iPod具有很多高档而且成功的特性，配置了5GB的硬盘。我们下面再来看看iPOD其他的一些突出表现：

iPod能够同iTunes一起用，iTunes是Apple今天发布的一种音乐管理软件。

iPod在机身前面有5个按钮：Menu，Next Track/FF，Preuious Track/Rewind，Play/Pause和Enter。

在iPod内置的锂电池可以提供10小时的播放时间（最大音量情况下）。

不过下面的一点就是坏消息！！这款播放机不支持PC电脑。

（改写自天极网2001年10月26日锐凡）

三、看完问题之后，你认为你使用哪种阅读方法可以做出正确的选择：

1. 作者认为城市人很依靠出租汽车司机，是因为：
   A. 城市越来越大，人越来越多　　B. 出租车司机常常帮助我们
   C. 跟他们可以交流　　D. A和C

2. 文章中出现了几个中国城市的名字？
   A. 10　　B. 12　　C. 14　　D. 16

3. 什么人遇到什么司机时，可能交流得最多？
   A. 内向的人与南方的司机　　B. 外向的人与北方的司机
   C. 内向的人与北方的司机　　D. 外向的人与南方的司机

4. 文章主要写了：
   A. 人依靠出租车司机的原因　　B. 出租车的情况和各地出租车的不同
   C. 南方司机和北方司机的不同　　D. 作者自己喜欢什么样的出租车司机

出租汽车司机

在城市中，我们碰见的最多的陌生人就是出租汽车司机了。出租车司机在*北京*有六万多，在*上海*有三万多，在全国加起来有几十万人。城市人越来越多地依靠出租汽车司机了，因为今天的城市已变得拥挤、复杂、广大，这使得人们外出变得困难多了，出租汽车司机是我们生活中的帮手。我们当然不能没有出租汽车司机。

另一个原因是，有人还希望与出租汽车司机进行交流。在这一点上，南方和北方的出租汽车司机们完全不同。北方，无论是北京还是*济南*，无论是*西安*还是*哈尔滨*，无论是*沈阳*还是*乌鲁木齐*，出租汽车司机都是健谈的，不但有问必答，有的出租汽车司机你还没问什么他就开始跟你聊了。而在南方，无论是上海还是*南宁*，无论是*杭州*还是*海口*，无论是*福州*还是*深圳*，无论是*南京*还是*长沙*，出租汽车司机就没有多少话，只是有问必答，或者是有问都不答。这种情况一方面反映了南方人和北方人在性格上的不同，另一方面却也有文化和观念上的不同。

有些内向的人不喜欢跟陌生人谈话，特别是谈一些关于自己的话题，如果他们遇到北方司机就会觉得有点讨厌；如果在南方，就比较舒服。

（改写自 2002/07/26 新浪文化 http://www.sina.com.cn　邱华栋）

四、不同的阅读方法，你都用对了吗？现在还剩下一种——眺读。

如果你现在进入了一个网站，你会点击哪里？想好了吗？

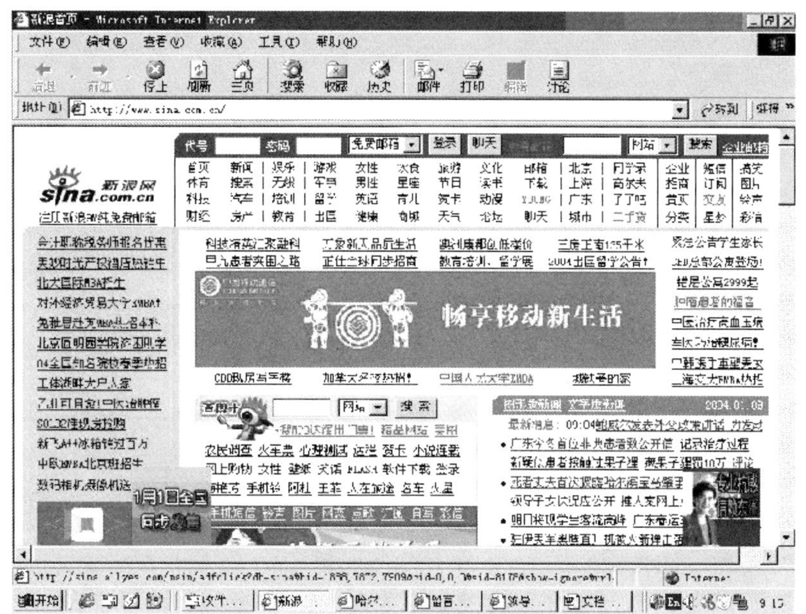

二、阅读训练

阅读一

幽默故事三则

①爸爸睡着了

儿子不想睡觉，爸爸坐在他的床上开始给他讲故事。过了两个小时，房间里没有声音了。这时妈妈打开房门问：“他睡着了吗？”

“睡着了，妈妈。”儿子小声回答说。

②不能看书

一群年轻人在一家旅馆的房间里喝酒唱歌。旅馆的服务员走过来对他们说：“你们不要这样大喊大叫！隔壁那位先生说他不能看书了。”

“你去告诉他，”一个年轻人说：“不能看书了跟我没有关系，是他自己的问题，我五岁就能看书了。”

③爱人的新爱人

有一个男青年离开家乡去很远的外地工作，他两年没有回家。在这两年的时间里，他差不多每天都给女朋友写信，他一直等着有一天回家跟心爱的女朋友结婚。一天，他接到女朋友的一封信，女朋友在信上说：“对不起，我要结婚了。谢谢你给我介绍了一个那么好的男朋友。”原来她的新男朋友就是每天给她送信的邮递员。

（摘自“星辰在线网”）

根据课文内容选择正确答案：

1. 第一个故事里的爸爸在孩子的房间是为了：
   A.睡觉　B.让孩子睡觉　C.看孩子睡觉　D.给孩子讲故事

2. 第二个故事里的“先生”：
   A.想看书，可是不识字，不能看　B.想唱歌喝酒，所以不能看书
   C.想看书，可是觉得隔壁声音太大了　D.想跟隔壁的年轻人说话，不想看书

3. 第二个故事里的年轻人：
   A.可能觉得“不能看书”是“不会看书”的意思
   B.他觉得自己比隔壁先生聪明
   C.可能他的回答很不友好
   D.以上全部

4. 第三个故事里，男青年的女朋友为什么说“谢谢你给我介绍了一个那么好的男朋友”？
   A.因为邮递员每天都给她送信，所以他们认识了，相爱了
   B.因为他离女朋友很远，他就给自己的女朋友介绍了一个男朋友
   C.因为他让邮递员去照顾自己的女朋友
   D.女朋友说这样的话是为了让男朋友生气

生词

隔壁	gébì	（名）左右两边连在一起的人家、房子
原来	yuánlái	（副）现在知道原因了
邮递员	yóudìyuán	（名）邮局送信的人

阅读二

交朋友

妈妈问：“亮亮，怎么了？为什么不高兴？”
亮亮说：“没有人跟我玩，我真希望我们没有搬到这儿来，在老家我有很多朋友。”
妈妈说：“别着急，你很快会在这里交上朋友的。你等着瞧吧。”
正在这时，响起了轻轻的敲门声。妈妈打开门。
门口站着一位四五十岁的胖女人，她说：“我姓李，住在你们隔壁。”
妈妈满脸笑容地迎上去：“进来吧，很高兴你来我们家。”
李阿姨说：“我来借三个鸡蛋，我想做个西红柿炒蛋。”
妈妈说：“我买了很多鸡蛋。别着急，坐一下，说会儿话吧。”

那天下午，又有人敲门，门口站着一个和亮亮差不多大的男孩。

男孩说："我叫小刚，我妈妈送给你这个西瓜，还有这三个鸡蛋。"

"哎呀，谢谢！进来吧，和亮亮认识认识。"

不一会儿，两个男孩一起吃起了西瓜和糖果。

然后，他们一起踢起了小足球。

亮亮说："我很高兴你住在隔壁，现在有人跟我玩了。"

小刚说："我妈妈说我们很快会成为好朋友的。"

亮亮说："我很高兴你妈妈需要三个鸡蛋。"

小刚笑了："她并不是真的需要鸡蛋，她只是想跟你妈妈交朋友。"

（根据《读者》文章改写）

根据课文内容选择正确答案：

1. 亮亮一家以前住在哪儿？
   A. 这里　B. 隔壁　C. 老家　D. 不知道

2. 亮亮为什么不高兴？
   A. 没有朋友　B. 没有西瓜吃　C. 没有足球踢　D. 没有糖果吃

3. 谁敲过亮亮家的门？
   A. 小刚　B. 小刚的妈妈　C. 亮亮的妈妈　D. A 和 B

4. 小刚的妈妈为什么到亮亮家借鸡蛋？
   A. 她家没有鸡蛋了　B. 她家没有西瓜了
   C. 她想跟亮亮妈妈交朋友　D. 她想跟亮亮交朋友

5. 亮亮的妈妈对小刚和小刚妈妈怎么样？
   A. 非常热情　B. 比较热情　C. 不热情　D. 不知道

6. 从那以后，亮亮家和小刚家关系怎么样？
   A. 成了朋友　B. 成了亲人　C. 成了同事　D. 成了师生

7. 第三行中的"瞧"是什么意思？
   A. 眼的动作　B. 手的动作　C. 脚的动作　D. 嘴的动作

生词

隔壁　gébì　（名）next door　左右相连的房子或人家

阅读三

两首诗

作者几米

疲惫人生

大家都说做人好累，我也这么觉得。
要戴上假发、戴上面具、戴上眼镜、戴上笑容。
穿上内衣、穿上外衣、再穿上外套，
穿上内裤、穿上外裤、再系上皮带，
穿上袜子、穿上鞋子、再绑上鞋带，
天天都得如此，直到上天堂。

词语讨论：

1. 你觉得“疲惫”是什么意思？
2. “假发、面具、鞋带”是什么？
3. “绑”的意思跟诗中哪个词的意思差不多？

生词

皮带	pídài	（名）belt
系	jì	（动）把皮带“穿”到裤腰上
如此	rúcǐ	（代）这样
天堂	tiāntáng	（名）heaven

摘星星

摘不到的星星，
总是最闪亮的。
溜掉的小鱼，
总是最美丽的。
错过的电影，
总是最好看的。
失去的情人，
总是最懂我的。
我始终不明白，
这究竟是什么道理。

一、根据课文内容选择正确答案：

诗的意思是：

A.作者讲自己的希望

B.作者讲他感到遗憾的事情

C.没办法得到或者失去的东西总是最好的

二、内容讨论：

读了这两首诗歌，你认为作者对生活满意吗？你跟他有相同的感觉吗？

生词

溜	liū	（动）	偷偷地走了
错过	cuòguò	（动）	本来应该得到、看到的东西因为一个原因没能得到、看到
失去	shīqù	（动）	本来有，现在没有了
究竟	jiūjìng	（副）	到底

看照片

摄于上海

（照片文字）**热烈庆祝建国51周年**

热烈

“热烈”是汉语标语中的常用语，表示欢快的心情。如：

热烈欢迎新同学

热烈祝贺香港回归祖国

练习

请用“热烈”说一个标语，或抄一个有“热烈”字样的标语交给老师。

第二课

一、技能

猜词之——偏旁分析（一）

汉字是世界上最古老的文字之一，已有四千年的历史。四千年来，虽然汉字也有一些改变，但它一直保持着完整体系，这在世界上是很少见的。跟拼音文字比，汉字的确难认、难学、难写。但是，学好汉字是完全有可能的，因为虽然汉字很多，但我们今天常使用的汉字只有三千多个，不算太多。而且汉字产生的方法有很强的规律性。如果我们掌握了这些规律，学习汉字就会变得比较容易，也会有意思。

形声字是汉字中数量最多的字。在常用汉字中，它更占到了90%。形声字就是那些由形旁加声旁组成的字。形旁又叫义符，是表示这个字的意义。例如“扌”就表示和手有关系，它一般在汉字的左边。声旁又叫声符，是表示这个字的读音。例如“招、拭、拦、扒”这几个字，右边的“召、式、兰、八”就是声旁，它一般在汉字的右边。

当然，汉字经过几千年的发展，很多形旁和声旁都不是十分准确了，但它还是可以帮助我们学习和掌握汉字，提高阅读水平。

形旁在左边、上边、外边的多，声旁在右边、里边的多。当然也有例外。

偏旁说明表：

形旁义符	名称	意义	举例	声旁／声符
氵	三点水儿	和水、液体有关系	汪、沐、汽、汗	王、木、气、干
讠	言字旁儿	和说话有关系	记、讥、讽、评	己、几、风、平
木	木字旁儿	和树木、棍子有关系	材、栋、柏、枝	才、东、白、支
月	月字旁儿	和动物的器官、肉有关系	肌、肤、肢、背	几、夫、支、北
饣	食字旁儿	和食物、饮食有关系	饱、饼、饿、饥	包、并、我、几
贝	贝字边儿 贝字底	和金钱、财产有关系	财、贩、货、贷	才、反、化、代
灬	四点儿	和火、热有关系	煮、煎、熟、熬	者、前、孰、敖
扌	提手旁	和手、动作有关系	拥、捻、掂、拘	用、念、店、句

忄	竖心旁儿	和心理、性格有关系	情、忡、慎、怖	青、中、真、布
心	心字底儿		想、悲、忠、愁	相、非、中、秋
口	口字旁儿	和嘴、说话、声音有关系	吩、吗、吐、叨	分、马、土、刀

练习

一、写出有这个形旁的字，每个形旁写三个汉字。

氵：____、____、____　　讠：____、____、____　　木：____、____、____

月：____、____、____　　饣：____、____、____　　贝：____、____、____

灬：____、____、____　　扌：____、____、____　　心：____、____、____

忄：____、____、____　　口：____、____、____

二、请找出下面汉字的形旁和声旁，试着念一下并说出汉字的意思，然后让老师告诉你正确的读音和意思。

咐　哽　烈　掴　惧　忌　资　赠　膛　煎

讶　哗　饵　腩　诈　证　捆　捎　淋　液

三、选择下面这段话说的是哪个词。

1．不管一切地去做。

A.故意　B.议论　C.拼搏　D.到达

2．用来给动物吃的的东西。

A.移动　B.饲料　C.物体　D.豺狼

3．说假话，骗人。

A.瑕疵　B.惊骇　C.欺诈　D.偏袒

4．人身体和手臂连接处靠下面的部分。

A.腋　B.避　C.睁　D.钢

5．买

A.恰当　B.呼噜　C.溅落　D.采购

6．性格很大方，很愿意在很多方面帮助别人。

A.拖延　B.慷慨　C.清晰　D.拜会

7. 雪、冰、糖等，热的时候会变成像水一样的液体，或者在液体中不见了。
A.溶化 B.糟糠 C.虐待 D.体会

8. 东西掉到地上发出的声音。
A.卓越 B.温馨 C.哐啷 D.玩耍

四、看句子，利用汉字的形旁选出与加色字意思接近的词。（加色字不认识也没有关系。）

1. 松柏在中国文化里面代表坚强、勇敢。
A.一句成语 B.一种树 C.一种颜色 D.一种鸟

2. 他好容易才把它咽下去。
A.扔、投 B.踢 C.吃、吞 D.记

3. 他觉得非常恐怖。
A.冷 B.便宜 C.漂亮 D.可怕

4. 他最大的毛病就是太贪财。
A.太喜欢钱，有时用不好的方法得到钱
B.做事情太不认真，常常忘了重要的事情
C.虽然人很好，但是对别人不热情
D.认识的人很多，但是真正的朋友不太多

5. 怨恨是没有用的，我们应该认认真真地生活。
A.聪明 B.没有钱，可是不努力工作
C.做事很慢，很马虎 D.非常不喜欢

6. 羊肉涮一下就可以了，不用那么长时间。
A.用刀轻轻地拍打 B.用火很快地烤
C.放在水里动一动 D.和菜一起炒

7. 他拎着一只老母鸡走进了院子。
A.跟 B.提 C.追 D.看

8. 我问他要什么馅的，他说："什么都可以。"
A.国家和地区 B.饺子等食品中，包在里边的东西
C.东西的价钱和质量 D.事物的颜色和形状

9. 太腥了，可能要放一点酒才行。
A.开晚会的时候东西不够 B.鱼虾等动物的不好的味道
C.卫生间的电扇 D.不好吃

10. 我被熏得头晕眼花。

A.烟火接触　　B.车摇晃　　C.饿　　D.水淹

11. 他很诙谐。

A.长得英俊　　B.个子高大　　C.非常生气　　D.说话幽默

二、阅读训练

阅读一

小老虎回家

*边世贵*住在*板桥村*，他家周围都是大山。山上的野生动物常常来破坏他家的庄稼。边世贵在地里放了一个大铁夹子，用来抓野兽。

一天早上5点多钟，他听到有很大的吼声，他走近一看，原来夹子夹住了一只小老虎。小老虎见有人来了，瞪着眼，张着嘴，大喊大叫，样子很可怕。边世贵看到夹子夹住了老虎，赶快回家叫人。他们费了半个小时才把小老虎救了出来，并且抬到村里的卫生室为小老虎治疗。后来，小老虎被关进边世贵家里的笼子里照顾。

听说边世贵家有只老虎，附近村民都来看。几天后，小老虎的腿差不多好了，边世贵就把小老虎放了。

（改写自《北京晨报》2003年7月25日 武宛）

一、根据课文内容选择正确答案：

1. 边世贵可能是：

A.工人　　B.农民　　C.大夫　　D.老虎

2. 小老虎：

A.很大　　B.很可爱　　C.很漂亮　　D.受伤了

3. “他们费了半个小时才把小老虎救了出来”中“费”的意思是：

A.用　　B.贵　　C.便宜　　D.看

4. 他们把小老虎抬到村里是因为他们：

A.想给老虎打扫卫生　　B.想了解动物　　C.想保护动物　　D.想让村民看

5. “小老虎被关进边世贵家里的笼子里照顾”中“关”的意思是：

A.小心地抬　　B.送进去　　C.很关心　　D.放在里边不让它出来

6. 边世贵把小老虎放了是因为：

A.他爱动物　　B.他怕动物　　C.照顾动物很贵　　D. 村民都来看

二、给下面的词语配对。

1.（　）野生动物　2.（　）叫　3.（　）抓　4.（　）救　5.（　）瞪

A. 吼　B. 张大眼睛　C. 治疗　D. 野兽　E. 夹

生词

庄稼 zhuāngjia （名）田地里种的粮食
夹子 jiāzi （名）clip
笼子 lóngzi （名）cage 像网一样的东西，一般是方型的，动物在里边不容易出来

阅读二

这伙抢劫者真好玩

在中国东北的一个小城市，有三个家伙打算去抢劫银行。这三个抢劫者慌慌张张地冲进银行，谁知道竟然被卡在门上，动不了。银行职员急忙把他们放了出来，他们不好意思地说了声谢谢，悻悻地离开了银行。这三个家伙还不肯放弃，过了几分钟，又很凶恶地跑回来，大声说他们是来抢劫的，要银行职员马上交出20万人民币。奇怪的是竟然没有一个人相信他们，银行职员对着他们直笑。

看到这种情况，抢劫者一下子就没了信心，把索要的钱降到了2万元，最后竟然降到了20元，银行职员再也忍不住了，笑着说："你们这伙抢劫者真好玩。"

（根据《小笑话》中文章改写）

根据课文内容选择正确答案：

1. "抢劫者"是：
   A.动物　B.植物　C.人民币　D.人

2. "索要"的意思：
   A.偷　B.抢　C.借　D.要

3. 这三个人去银行做什么？
   A.存钱　B.取钱　C.借钱　D.抢钱

4. 这三个人到了银行，发生了什么事？
   A.被门卡住了，银行职员帮助了他们　B.被门卡住了，银行职员抓住了他们
   C.银行职员发现他们偷钱，报告了警察　D.银行职员发现他们抢钱，杀了他们

5. 这三个人为什么把索要的钱从20万降到20元？
   A.可能是因为他们不想要钱了　B.可能是因为他们害怕进监狱
   C.可能是因为他们害怕被杀死　D.可能是因为他们觉得少一点别人就会给他们

6．你觉得这个故事是

A.可恨的　　B.可笑的　　C.可怕的　　D.不可信的

生词

抢劫 qiǎngjié　（动）to rob 抢夺别人的钱、东西

竞然 jìngrán　（副）unexpectedly 表示没有想到

降 jiàng　（动）to lower, to reduce 使落下，使低

（家伙 jiāhuo、悻悻 xìngxìng、凶恶 xiōng'è）

阅读三

男女开车不同吗

英国《泰晤士报》8日一篇文章说，一家保险公司在对50万起各类交通事故进行分析后发现，女性司机在停车场上跟别人发生碰撞事故的比例要远远高于男性；而男性发生“重大交通事故”的比例比女性高，撞死行人的数量也比女司机多得多，因此让保险公司“破费不小”。

分析还发现，有23%的女司机在停车时可能会撞上旁边的汽车，还有15%的女司机在倒车时撞上后面的汽车。不过，98%的“危险驾驶记录”是男性司机“创造”的。

有人分析说，女司机“在停车场比男性事故多”的原因是她们“距离感比男性差”，对这个看法，国际汽车联合会表示“不同意”。他们认为，这是因为女司机“经常在市内的购物中心和其他地方停车，而男司机更愿意在高速公路上长途驾驶”。他们还认为，“性别跟开车技术好不好没有关系”。

（改写自2002年11月14日《北京晚报》）

根据课文内容选择正确答案：

1．发生小的碰撞事故：

A.男性司机比女性司机多　　B.女性司机比男性司机多

C.男女司机一样　　D.没有说

2．从文章来看，保险公司可能更喜欢：

A.男性司机　　B.女性司机　　C.都喜欢　　D.没有说

3．谁开车危险更大？

A.男性　　B.女性　　C.一样　　D.没有说

4．女性司机常常在停车场上跟别人发生碰撞是因为：

A.她们常常在市内停车　　B.她们距离感差

C.她们开车的技术差　　D.A和B都有人说

5. 从文章看：
A.男司机喜欢开车去比较远的地方　　B.女司机常常在城市里边开车
C.车开得好不好跟性别没有关系　　D.以上全部

二、找出下面词语的解释，并把代表解释内容的字母填在词语前面的括号内

(H) 1. 行人　　A. 大商店
(　) 2. 司机　　B. 很远的距离
(　) 3. 破费　　C. 用了很多不应该用的钱
(　) 4. 倒车　　D. 男或者女
(　) 5. 驾驶　　E. 开（汽车、飞机）
(　) 6. 距离感　　F. 汽车可以开得很快的道路
(　) 7. 购物中心　　G. 对距离的感觉
(　) 8. 长途　　H. 走路的人
(　) 9. 高速公路　　I. 开车的人
(　) 10. 性别　　J. 向后面开车

生词

保险 bǎoxiǎn （名） insurance 客人先付一些钱给公司，如果出事了公司就会对在保险责任内的损失进行赔偿
事故 shìgù （名） accident 人为的原因造成的损害事件，比如车祸、飞机失事等
创造 chuàngzào（动） to create 做一个新的，别人没有做过的事情
技术 jìshù （名） skill 做一种事情的技巧或熟练程度
（司机sījī、重大zhòngdà、破费pòfèi、驾驶jiàshǐ、购物gòuwù、高速公路gāosù gōnglù、长途 chángtú、性别 xìngbié）

专名

泰晤士报 Tàiwùshìbào 英国一份很有名的报纸
国际汽车联合会 Guójì qìchē Liánhéhuì 国际上一个汽车的组织

阅读四

“爱情演出”

15日，在郑州街头有一场精彩的“演出”：有一男子用车上的高音喇叭，反复播放准备好的录音：“玉名，回来吧！”和“玉名，我爱你！”引来许多人的围观。

昨日上午10点多，记者接到读者周先生打来的电话，说在京广南路上有一男子驾驶着一辆灰色

的面包车，由北向南缓慢地行驶，车的前方装有一高音喇叭，喇叭里反复播放着两句话——"玉名，回来吧！"后一句是，"玉名，我爱你！"

上午10时30分，记者开车来到周先生所说的地方，有人告诉记者，驾车的男子已经开到淮河路上去了。记者马上开车去淮河路，结果在淮河路和京广路的十字路口处，见到了那辆灰色的面包车，很远就听到高音喇叭发出的声音，听起来这几句录音特别有感情，记者想和驾车男子说话，但他似乎不愿意停下来，只是开着车慢慢往前走，继续用录音表达自己希望女友回心转意的心情。在围观的人中，有人对他这种做法表示同情，也有人表示遗憾，但更多的人只是觉得奇怪。

（改写自《大河报》 王勇 李岚）

根据课文内容选择正确答案：

1．这篇文章是：

A.报纸上的新闻　　B.是一个小故事

C.是一个演出的介绍　　D.是一个笑话

2．文章里没有提到的有：

A.京广南路　　B.淮河路　　C.大河路　　D.十字路口

3．以下说法哪一个最有可能是对的：

A.那个男人的女朋友跟他分手了，不跟他好了　　B.那个男人很有钱

C.那个男人喜欢做一些奇怪的事情让女朋友高兴　　D.那个男人喜欢在路上表演

4．如果我们在"十字路口"，那么我们可以向几个方向走？

A.1个　　B.2个　　C.3个　　D.4个

5．以下哪个句子用"围观"用对了？

A.他围观了故宫　　B.有人在打架，很多人围观，却没人管

C.我围观了那部电影　　D.我们把院子里的鸡都围观了起来，这样比较好管

生词

喇叭	lǎba	（名）	loudspeaker 一种使声音变大的机器
反复	fǎnfù	（副）	again and agian 一次又一次
播放	bōfàng	（动）	to play 把讲话、音乐等广播出来
面包车	miànbāochē	（名）	样子看起来像面包一样的小汽车
行驶	xíngshǐ	（动）	to drive （车）开动
回心转意	huíxīnzhuǎnyì		to change one's mind 改变原来的想法

（围观 wéiguān）

第三课

一、技能

猜词之——偏旁分析（二）

在第二课里我们学习了怎么通过汉字偏旁去猜一个汉字的方法，这一课我们继续学习一些汉字的偏旁。

偏旁说明表：

形旁义符	名称	意义	举例	声旁／声符
礻	示字旁儿	和祭祀、神有关系	祥、祺、祉、禅	羊、其、止、单
衤	衣字旁儿	和纺织品有关系	裤、袖、褂、袜	库、由、卦、末
山	山字旁儿	和山有关系	崎、岖、峨、岗	奇、区、我、冈
火	火字旁儿	和火、热有关系	炉、烤、熄、烫	户、考、息、汤
艹	草字头儿	和草、植物有关系	苹、芒、菠、菜	平、亡、波、采
疒	病字旁儿	和伤、病有关系	疤、症、痕、疼、	巴、正、艮、冬
犭	反犬旁儿	和四条腿的动物有关系	狼、猫、狮、猴	良、苗、师、侯
石	石字旁儿（石字边）	和石头有关系	砖、砂、碑、矿	专、少、卑、广
钅	金字旁儿（金字边）	和金属有关系	钟、铬、铜、钢	中、各、同、冈
虫	虫字旁儿（虫字边）	和昆虫这样的小虫子有关系	虾、蜘、蛛、蚊	下、知、朱、文

练习

一、写出有这个形旁的字。每个形旁写三个汉字。

礻：____、____、____　衤：____、____、____　山：____、____、____

火：____、____、____　艹：____、____、____　疒：____、____、____

犭：____、____、____　石：____、____、____　钅：____、____、____
虫：____、____、____

二、请找出下面汉字的形旁和声旁，试着念一下，说出这些词语的意思，然后让老师告诉你正确的读音和意思。

福祉　　襁褓　　峻峭　　烘焙　　苔藓
瘫痪　　猩猩　　硫磺　　钢铁　　蛤蟆

三、选择下面这段话说的是那个词。

1．向上天或神提出自己的希望
A.祈祷　　B.理由　　C.天文　　D.乾坤

2．一种衣服
A.依恋　　B.夹袄　　C.报复　　D.脾脏

3．大火
A.手铐　　B.大伙　　C.青睐　　D.烈焰

4．一种病
A.把柄　　B.庇护　　C.痔疮　　D.秩序

5．一种在水面生长的花的根
A.牲畜　　B.莲藕　　C.忽然　　D.真诚

6．一种小动物
A.水獭　　B.芸豆　　C.劝解　　D.表扬

7．很直，很陡的山坡
A.直率　　B.叛徒　　C.峭壁　　D.波浪

8．一种用石头做的工具，可以把一颗颗的米、玉米等谷物压碎
A.悬崖　　B.抖动　　C.淋浴　　D.碾子

四、看句子，利用汉字的形旁选出与加色字意思接近的词。（加色字不认识也没有关系。）

1．他把她的相片挂在祠堂正中间的墙上。
A.学校的教室　　B.公司的房子
C.家里的客厅　　D.宗族祭祀、议事的房子

2．这个人是个癞子，大伙都笑他，可他也不生气。
A.长得很难看的人　　B.很懒的人
C.头上有皮肤病的人　　D.做事很不认真的人

3. 秋天，这里有很多蚂蚱。
A.炸弹　B.水果　C.骑马的旅行者　D.虫

4. 他的钳子是在日本买的。
A.一种词典　B.一种食物　C.一种衣服　D.一种金属工具

5. 妈妈给他买了一个小刺猬，他高兴极了。
A.衣服　B.植物　C.动物　D.玩具

6. 这个地方的荞麦很有名。
A.风景　B.一种植物　C.木头造的桥　D.房子

7. 我家旁边就是大兴安岭。
A.公安局　B.山　C.河　D.大学

8. 这个瘸子很快地离开了办公室。
A.小偷　B.腿有病的人　C.孩子　D.年纪很老的男人

9. 奶奶说："随便烩一下就行了。"
A.动　B.热　C.写　D.读

10. 那里有暗礁，一定要小心。
A.坏人　B.香蕉　C.水里的石头　D.秘密警察

11. 他把长袍扔到篮子里去了。
A.一种服装　B.长面包　C.长的手提包　D.垃圾

二、阅读训练

阅读一

八旗子弟

"八旗子弟"在北京是很有名的，那么，"八旗子弟"是什么呢？"子弟"是儿子和弟弟，表示孩子。"八旗"是*清朝*时*满族*的军事组织，清朝时满族人把自己的人民分成八个部分，每个部分以旗子的颜色作为标记，如"正黄旗、正白旗、正红旗、正蓝旗"等，所以满族人也叫"旗人"，"八旗子弟"就是满族人的孩子。

最早的时候旗人不太多，八旗子弟只能当兵，他们骑马打仗，很勇敢。进入北京以后，旗人越来越多。很多旗人不需要当兵了，可是他们又不能做别的工作，于是就有一些人对书法、绘画、演戏、唱歌感兴趣。也有不少人没有事做，整天到处游玩。

现在，世界上有很多专家都对"八旗制度"感兴趣，他们研究"八旗制度"，*美国*、*法国*、*日本*、*韩国*的研究水平比较高。日本*明治大学*的*神田信夫*教授还出版了《满学50年》。

（改写自《生活报》）

一、根据课文内容填空：

1. 写出几个"八旗"的名字：________、________、________、________、________、________。
2. 满族人也叫：____。
3. 满族建立的王朝叫：____。
4. 写出几个旗人感兴趣的事情：________、________、________、________、________。
5. 研究"八旗制度" 水平比较高的国家有：________、________、________、________。

二、根据课文判断正误。

1. （　）满族人最早的家乡在北京。
2. （　）最早的"八旗子弟"很喜欢玩。
3. （　）旗人不能当兵。
4. （　）进北京后旗人的生活可能很不好。
5. （　）写《满学50年》的是日本的教授。

生词

军事	jūnshì	（名）	military 关于军队和战争的
旗子	qízi	（名）	flag
打仗	dǎzhàng	（动）	to fight a war 战争
制度	zhìdù	（名）	system 做事情的规定

专名

满族 Mǎnzú （名）he Man(Manchu) nationality 中国的一个少数民族，建立了清朝

阅读二

唐代丝绸服装

1987年，*西安法门寺*出土了大量的*唐代*丝绸，由于时间太久，这些丝绸出土时大多数已经褪色朽烂，堆在一起，很难分开。在清理中看到，有一个箱子里边的丝绸衣服的厚度达23厘米，约780多层，专家估计打开后的面积可达400多平方米。为了保护这些古代丝绸，当时就没有把它们分开，而是原样保存起来了。

*中国*和*德国*专家用了十多年的时间研究这些古代丝绸，最近成功地打开了6件丝绸衣服，现代

的人们终于可以看到这些1000多年前的精美服装。

法门寺出土的丝绸织品有700多件，几乎包括了唐代丝绸的所有种类，被称为中国唐代丝织品的博物馆。据专家们研究，法门寺地官丝绸中的种类有8种，纺织方法代表了唐代丝织工艺的最高水平。

（改写自“人民网”）

一、根据课文内容选择正确答案：

1．“这些丝绸出土时大多数已经褪色朽烂，……”中“褪色”的意思是：

A.颜色漂亮　　B.颜色没有了　　C.红色　　D.很多颜色

2．法门寺出土丝绸是：

A.1987年生产的　　B.1000年前出土的　　C.是唐代生产的　　D.是唐代出土的

3．参加研究的专家是：

A.中国的　　B.德国的　　C.A和B　　D.没有说

4．专家现在打开了：

A.6件衣服　　B.400多平方米丝绸　　C.780多层丝绸　　D.700多件衣服

5．这篇文章主要介绍了：

A.西安法门寺的历史

B.中国和德国专家用什么方法研究唐代丝绸

C.唐代丝织工艺的水平

D.法门寺唐代丝绸的出土和研究情况

二、给下列词语配对：

（　）1．大量　　A．对一种事情有很多了解和研究的人

（　）2．朽烂　　B．一个放在另一个的上边

（　）3．堆　　C．原来的，以前的样子

（　）4．专家　　D．做一个东西的技术、方法

（　）5．原样　　E．数量很多

（　）6．称为　　F．叫做

（　）7．工艺　　G．变坏

生词

出土	chūtǔ	（动）	to unearth; to excavate　在地下发现古代文物
丝绸	sīchóu	（名）	silk　用丝织出来的纺织品
清理	qīnglǐ	（动）	to work off　收拾、整理
厚度	hòudù	（名）	thickness　一个东西有多厚的单位
保存	bǎocún	（动）	to reposit, to conserve　保护，保留
丝织品	sīzhīpǐn	（名）	textile product of silk　丝绸纺织品

专词

西安	Xī'ān	Xi'an 中国城市，历史上曾经是多个朝代的首都，在陕西省
法门寺	Fǎménsì	the Famensi temple 西安西部的一座佛教寺庙
唐代	Tángdài	the Tang Dynasty 中国朝代名，公元618年～907年

阅读三

枪手离希拉克不到一百米

2002年7月 14日上午10点左右。*法国*国庆大阅兵正在进行。就在总统*希拉克*乘坐的敞篷车到达*凯旋门*广场时，游客*维贝*忽然发现一个人正用一支*卡宾枪*向总统瞄准。这位游客用手将枪向天上一抬，就在这时，枪响了。另外一名来自*加拿大*的游客也看到了，他也冲上去紧紧抓住那支卡宾枪。

开枪者是一个白人青年。他看不能再向法国总统开枪，便准备向着自己的脑袋开枪。这时第三名游客冲上来死死地卡住了他的脖子。周围其他的游客有的也上来帮忙，有的则大叫"警察"！警察很快来到并抓住了开枪者。

枪手叫*马克西姆·布吕内里*，是一名25岁的大学生。7月14日，他早早地来到凯旋门附近，他把卡宾枪藏在一只*吉他*的盒子里，总统的车来到他的面前时，他从盒子里拿出枪，向希拉克瞄准……

法国警察发现他的精神有点儿问题，因此就把他送到医院，看他是不是真的有精神病。

（改写自《今晚报》2002年1月31日）

一、根据文章判断正误。

1．（　　）故事发生在法国和加拿大。
2．（　　）去抓枪手的游客有3个人。
3．（　　）开枪时希拉克在敞篷车上。
4．（　　）警察想打死枪手。
5．（　　）枪是放在吉他盒子里面。
6．（　　）枪手可能有精神病。

二、根据文章写出这些人是谁。

1．希拉克：____________
2．维贝：____________
3．马克西姆·布吕内里：____________

三、找出文章中有"枪"的词：

如：1.枪手　　2.________　　3.________　　4.________

生词

枪手	qiāngshǒu	（名）	gun man 开枪的人
国庆	guóqìng	（名）	national day 建立国家的纪念日
阅兵	yuèbīng	（动）	to review troops 展示军队的仪式
总统	zǒngtǒng	（名）	president 一些国家最高领导人的名称
敞篷车	chǎngpéngchē	（名）	一种没有车顶的车，坐车的人可以站起来，上半身在车外
吉他	jítā	（名）	guitar 一种乐器
瞄准	miáozhǔn	（动）	to sight, to aim 对准（常常是用武器，如枪、炮、弓箭等）
精神	jīngshén	（名）	mental 这里是指头脑的情况

读后说(1)

以下是三封读者写给报纸的信。三个同学一组，每个同学各读一封，读完后给同组的同学介绍你的信说的是什么事情。

第一封信：这是教育吗？

我们是广东XX镇的一个小学的学生家长，写信告诉你们这个学校的校长是怎么对待有错误的学生的。

上学期，我们的儿子在上学的时候抽烟，学抽烟的学生一共有7人。校长知道后，把这几个学生关起来，买了两包“羊城”牌香烟，让学生们一口气把这两包烟抽完，不抽完不能停下来。结果学生们都抽得头晕、眼花、想吐，回到家还非常不舒服。

这种教育方法让我们感到很可怕，这是教育吗？

生词

对待 duìdài （动） to treat
眼花 yǎnhuā 眼睛看不清楚东西
吐 tù （动） to vomit 把吃到胃里的东西吐出来

第二封信：可以这样收费吗？

一天上午，我和另外29名青年到一个医院进行身体检查。我们先交体检费，收钱的是一个20多岁的女人。她觉得一个个地收费、找钱、开收据太慢了，就叫我们把钱一起交给她。

体检费每人25元，我们30人应给她750元。我们有人给30元，有人给50元，有人给100元，一共给了她995元。她收了以后，点了一下，一口气开了30张收据。然后，她说：“这是245元，你们拿回自己的钱吧！”接着，她把钱和30多张收据都放在那里，就走了。

最后，我们有人拿不到应该找回来的钱，有的人却多拿了。这样的工作态度让我们生气！

生词

收据 shōujù （名） receipt

第三封信：你见过有车的小偷吗？

一天我在街上走着，一辆小汽车在我身边停下。司机是一位男性，后座坐着一个妇女和一个约三岁的小孩，他们看起来像一家人。司机旁边还坐着一个男人。这男人问我有没有零钱，接着从钱包里拿出100元人民币，要换两张50元的。我刚好有，就换给了他。他又指着我的书包，问我里面还有没有零钱。我打开手书包给他看，告诉他没有零钱了，只有手机。很奇怪，他伸手帮我拉上书包的拉链，说：“手机不要。”

他们开着车走了，我打开手提包看一下，发现手机被偷走了！我就追车，一口气跑了100米，还是追不上。

大家要小心啊！

生词

拉链 lāliàn （名）zip

词语讨论

“一口气”是什么意思，请每组同学用它造一个句子。

第四课

一、技能

猜词之——偏旁分析（三）

在第二、三课里我们学习了怎么通过汉字偏旁去猜一个汉字的方法，这一课我们继续学习一些汉字的偏旁。

偏旁说明表：

形旁义符	名称	意义	举例	声旁／声符
雨	雨字头儿	和雨雪等天气情况有关系	雾、雹、霉、路	务、包、每、各
辶	走之旁儿	和行走、移动有关系	速、运、近、远	束、云、斤、元
酉	酉字边儿	和用罐子酿造的东西有关系	酪、酊、酝、酿	名、丁、云、良
纟	绞丝旁儿	和纺织品有关系	纱、纺、织、纶	少、方、只、仑
巾	巾字旁儿	和纺织品有关系	帆、帐、帽、幕	凡、长、冒、莫
足	足字旁儿	和脚、脚部活动有关	趾、跑、跺、踩	止、包、朵、采
气	气字头儿	和气体有关系	氧、氢、氨、氟	羊、冬、安、弗
竹	竹字头儿	和竹、竹制品、乐器有关系	竿、竽、笙、簧	干、于、生、黄
鸟	鸟字旁儿	和鸟类动物有关系	鹅、鸪、鸯、鸽	我、古、央、合
鱼	鱼字旁儿	和鱼类等水生动物有关系	鲸、鲍、鲳、鲨	京、包、昌、沙

练习

一、 把左边的形旁和右边的汉字部件组成汉字，请试着读一读，再说说它们的意思。

	形　旁	汉字部件
例	木	
	桐、档、椅	同　当　奇

1. 雨	齐、非、林
2. 辶	大、白、反
3. 酉	星、良、每
4. 纟	逢、周、览
5. 巾	长、番、只
6. 足	危、巨、交
7. 气	青、分、山
8. 乌	丽、婴、武
9. 竹	快、离、巴
10. 鱼	连、即、念

二、请选择下面这段话说的是那个字或词。

1. 没有目的地到处走。
A.闲人　B.闲聊　C.空闲　D.闲逛

2. 因为冷，冬天早晨在植物表面上出现的一层白色的东西。
A.振　B.柏　C.霜　D.氡

3. 一种鸟，一般是黑色的。
A.螃蟹　B.蚂蝗　C.黑豹　D.乌鸦

4. 一种丝织品。
A.蝎子　B.缎子　C.耗子　D.筐子

5. 做面包、酒等食物时，要先用一些物质让原材料发生变化。
A.发威　B.发狂　C.发奋　D.发酵

6. 一种样子像蛇一样的水生动物。
A.蜈蚣　B.黄鳝　C.骆驼　D.狐狸

7. 一种气体。
A.凄　B.氯　C.乞　D.奔

8. 一块布，上面写了商店名或一些广告性质的文字。
A.刷子　B.豁子　C.幌子　D.椰子

9. 一种古代的乐器。
A.轮廓　B.乐谱　C.器乐　D.箜篌

10. 用脚用力地踩或踢。
A.别　B.睬　C.蹬　D.拥

三、看句子，利用汉字的形旁选出与加色字意思接近的词。(加色字不认识也没有关系。)

1. 他踉跄地走着。

   A.高高兴兴　　B.偷偷

   C.在仓库里　　D.站不稳的样子

2. 这种阴霾的日子持续了好久。

   A.秘密　　B.天气不好

   C.生活困难　　D.阴谋

3. 他带了一个大箩筐上街去了。

   A.用来装水的木桶　　B.锣鼓

   C.草或藤编的包　　D.竹做的篮子

4. 他最拿手的就是清蒸加洲鲈。

   A.一种外国牛肉　　B.一种鱼

   C.一种面食　　D.一种蔬菜

5. 因为那儿有很多白鹭，所以那里又叫鹭岛。

   A.白云　　B.鱼　　C.植物　　D.鸟

6. 这个地方的奶酪很有名。

   A.一种用奶做的食品　　B.奶奶做的食品

   C.一种产奶很多的牛　　D.一种有奶的茶

7. 国际上已经禁用氟里昂了，因为它会破坏环境。

   A.柴油　　B.一种气体

   C.煤炭　　D.一种有污染的矿物质

8. 巡警很快就赶到了事故发生的地点。

   A.老警察　　B.在监狱工作的警察

   C.处理重大案件的警察　　D.在街上走的警察

9. 西藏一个最有特色的景象就是在很多地方你都能看经幡。

   A.里面有佛经，可以转动的一个圆桶　　B.像宝塔一样，可以在里面烧香的建筑

   C.一种写有佛教经典的布条　　D.一种刻有佛教经典的石头

10. 她拿着一个手绢。

    A.手杖　　B.手铐　　C.手枪　　D.手帕

二、阅读训练

阅读一

艾滋病

国际艾滋病专家认为：如果在艾滋病流行早期舍不得花钱在宣传教育上，到流行的中期就不得不拿出10倍甚至更多的钱用于病人的治疗；而到流行晚期，大量艾滋病病人的治疗费可能用光一个国家全部的卫生费。

艾滋病对个人和家庭的影响很大。病人失去工作，家庭收入减少，医药费很贵，这些都让家庭经济陷入巨大困难。据北京的调查，一个艾滋病人的治疗费一年要8万多元；在广州要超过10万元，都超过了当地人的平均收入。

一个病人因为生病而少挣了钱，因为生病又要多花钱，那么加起来一共损失是多少呢？以中国艾滋病人平均死亡年龄为35岁计算，一个艾滋病人给社会带来的损失约为13万元。这还不包括艾滋病人去世后，他的孩子的教育和生活费。

（改写自《今晚报》）

一、根据课文内容填空。

1. 专家认为治疗艾滋病花钱最多的时期是________________。
2. 治疗艾滋病在北京每年要花的钱是________________。
3. 在中国，一个艾滋病人给社会带来的损失约为________________。

二、根据课文内容选择正确答案。

1. 关于艾滋病，专家的意见可能是：
   A.早期的宣传教育最重要　　B.中期的治疗最重要
   C.晚期的治疗最重要　　D.现在没有办法

2. 北京和广州人的年收入可能：
   A.超过8万元　　B.超过10万元　　C.不到8万、10万元　　D.没有说

3. 跟第三段“挣”字意思相反的词语是：
   A.斗争　　B.赚　　C.花　　D.损失

4. 跟第三段“这还不算艾滋病人去世后他的孩子的教育和生活费”中“去世”意思接近的词语是：
   A.治疗　　B.生病　　C.失去工作　　D.死

生词

艾滋病	Àizībìng	（名）	ADIS
舍不得	shěbudé		因为觉得太好而不愿意跟他（她、它）分开

甚至	shènzhì	（副）	even
治疗	zhìliáo	（动）	to cure, to treat 用吃药、打针等方法让病变好
陷入	xiànrù	（动）	to get into, to be involved 进入一种不好的情况中

阅读二

北京开始进入富裕社会

作为首都，北京的发展比一般城市要快，工作机会多，平均收入高。2001年，北京人均GDP3000美元，开始达到世界中等发达城市水平。据估计，到2008年，北京人均GDP将达6000美元，到2020年，将达10000美元。

在受教育方面，北京市民的受教育水平在国内是最高的，人均受教育10年，是中国平均水平的4.7倍。

目前，北京的私家车数量在中国大城市中排名第一，在北京生活，没有汽车就像在小城市没有自行车一样。

（根据《新民晚报》2003年1月26日文章改写）

根据课文内容选择正确答案：

1．“人均”的意思是：
A.每人　B.平均　C.平均每人　D.人民

2．“私家车”的意思是：
A.一般的汽车　B.家庭拥有的汽车　C.高级的汽车　D.一家大公司的出租车

3．什么时候北京人均GDP开始达到世界中等发达城市水平？
A.2001年　B.3000年　C.2008年　D.2020年

4．什么时候北京人均GDP将达到6000美元？
A.2001年　B.3000年　C.2008年　D.2020年

5．文章没有谈到北京哪个方面的情况？
A.住房　B.私家车　C.教育　D.收入

生词

富裕	fùyù	（形）	prosperous 钱和东西很多
平均	píngjūn	（动）	to share out equally 把总数平等地分成一定的份

阅读三

汪伦请李白

*唐代*有一个读书人叫*汪伦*，非常敬佩大诗人*李白*，他很想邀请李白到他家作客，就故意在信中写道："您喜欢游览吗？我这里有十里桃花；您喜欢喝酒吗？我这里有万家酒店。"

李白应邀来访，既不见美丽的"十里桃花"，也不见热闹的"万家酒店"！汪伦微笑着说：前者不过是一个水潭的名字，后者只是一家姓万的人开的酒店！李白听了哈哈大笑。

李白要离开汪伦家的时候，为了感谢汪伦的盛情，写了一首著名的诗，这首诗就是：

赠汪伦

李白乘舟将欲行，忽闻岸上踏歌声。
桃花潭水深千尺，不及汪伦送我情。

（根据《课外阅读》中文章改写）

根据课文内容选择正确答案：

1．第二段"应邀"的意思是什么？

A.应该邀请　B.发出邀请　C.接受邀请　D.朋友邀请

2．汪伦为什么给李白写信？

A.想邀请李白到家里作客　B.想邀请李白欣赏十里桃花
C.想邀请李白到万家酒店喝酒　D.想邀请李白为他写诗

3．汪伦信中说的"十里桃花"是什么？

A.桃花园的名字　B.酒店的名字　C.水潭的名字　D.诗的名字

4．李白以为"万家酒店"是什么？

A.一家姓万的酒店　B.非常多的酒店
C.一家特别的酒店　D.一家一般的酒店

5．李白为什么写《赠汪伦》？

A.因为汪伦欺骗了他　B.因为汪伦对他有很深的感情
C.因为汪伦家的桃花很漂亮　D.因为汪伦家的酒很好喝

生词

敬佩	jìngpèi	（动）	to esteem, to admire　敬重佩服
盛情	shèngqíng	（名）	great kindness　深厚的情意
潭	tán	（名）	pond　深的水池
赠	zèng	（动）	to present as a gift　把东西送给别人
乘	chéng	（动）	to ride　坐车、船、飞机等交通工具

（舟 zhōu、欲 yù、及 jí）

阅读四

大肥猪

俗话说“人怕出名猪怕壮”。可猪要壮到千斤重，发愁的就该是它的主人了。在*延庆县永宁镇利民街村*，就有这么一头千斤“肥胖猪”轻松地生活着，没有一点儿担心。

“肥胖猪”的主人是*刘通善*、*刘善顺*哥俩儿，哥哥今年68岁，弟弟57岁，二人生活在一起。前年他们买来一只小猪崽儿，没想到这只猪崽儿长得飞快。长到500多斤，本是卖出去的时候，但刘通善、刘善顺觉得这头猪长得正好，舍不得卖。在哥俩儿玉米、土豆、白菜、胡萝卜的“溺爱”下，猪越长越壮，现在身长已达1.83米，体重超过千斤，可以说是当地的“猪王”，连站起来也很困难。许多猪贩子都来看过，都觉得这头猪太大了，不愿买。

有人劝他们哥俩儿杀了这头猪，可哥俩儿已和这头猪建立起感情，不忍心杀。于是，这头猪就一直被养在家里，引来不少人观看。

（改写自《北京晚报》2002年12月10日）

根据课文内容选择正确答案：

1. 第一段“发愁”的意思可能是：
   A.很发达　　B.很担心　　C.很有名　　D.很强壮

2. 这头“肥胖猪”养了多长时间：
   A.一年不到　　B.两年多　　C.三年多　　D.没有说

3. 猪500斤时他们舍不得卖的原因是：
   A.他们和猪已经有了感情　　B.当时价钱太低
   C.他们想等猪再长大一点　　D.没有说

4. “许多猪贩子都来看过，……”中“贩子”的意思是：
   A.给猪看病的人　　B.买然后再卖的人　　C.杀猪的人　　D.买猪肉吃的顾客

5. 到现在这头猪还没有杀的原因是：
   A.他们和猪已经有了感情　　B.猪肉太肥，不好吃
   C.他们想等猪再长大一点　　D.他们觉得猪很有用

生词

人怕出名猪怕壮	rén pà chūmíng zhū pà zhuàng	（俗语）人有名不是好事
壮	zhuàng	（形）strong 强壮、结实、身体大而且好
悠闲	yōuxián	（形）轻松、自由的样子
崽儿	zǎir	（名）刚出生的小动物
溺爱	nì'ài	（形）过分地爱

（舍不得 shěbudé　忍心 rěnxīn）

看照片

摄于北京新华门

（照片文字）**战无不胜的毛泽东思想万岁**

“万岁”

“万岁”是汉语标语中的常用语，表示崇敬、热爱的心情，对象一般是崇高伟大，不平凡的。如：

伟大的中国共产党万岁

中华人民共和国万岁

练习

请用“万岁”说一个标语，或抄一个有“万岁”字样的标语交给老师。

第五课

一、技能

词类识别之一——名词的识别

阅读的时候，如果知道一个词的词类：动词、名词、形容词……即使不知道这个词的准确的意思，对理解文章也是很有帮助的。各种词类在句子中都有一定的形式特征，通过训练，我们就有可能识别词的词类。比如："昨天我去市场买了两斤榴莲"，"榴莲"在数量词的后边，是名词；"李先生非常慷慨"，"慷慨"在"非常"的后面，是形容词；"她在家里的小花园里锄着地"，"锄"的后边有"着"，是动词……从这一课开始，我们要介绍和训练识别词类的技能，本课主要介绍和训练名词的识别。

汉语的名词有一些形式特征，比如：1．数量词所修饰的是名词，如：两辆车、三匹骆驼；2．结构助词"的"的后边一般是名词，如：我的书、美丽的草原；3．阿、老、小是名词的前缀，如：阿姨、老汉、小吃；4．子、儿、头、者是名词的后缀，如：筷子、盖儿、馒头、读者；员、长、士、家、师等也类似名词的后缀，如：售票员、船长、博士、画家、工程师；5．"把"字句中"把"的后边是名词，如：他把玻璃打破了……利用这些名词的形式特征，我们便有可能识别名词。

识别了词类以后，再加上上下文意思上的限制，我们还可以更准确地推测出生词的意思。如："昨天我去市场买了三斤榴莲，因为我儿子特别爱吃"，"榴莲"能受数量词"三斤"的限制，我们可以断定它是个名词，再看下文，我们可以进一步推测它是一种吃的东西。

练习

一、体会下列名词词缀的用法，然后写出三个含有该词缀的名词。

阿姨	阿爸	阿刚	阿＿＿	阿＿＿	阿＿＿
老婆	老张	老虎	老＿＿	老＿＿	老＿＿
小朋友	小菜	小姐	小＿＿	小＿＿	小＿＿
桌子	脑子	胖子	＿＿子	＿＿子	＿＿子
花儿	伴儿	空儿	＿＿儿	＿＿儿	＿＿儿
木头	舌头	甜头	＿＿头	＿＿头	＿＿头

二、体会下列各组词后一个语素的用法和意义，然后写出三个含有该名词语素的名词。

运动员	列车员	演员	＿＿员	＿＿员	＿＿员
校长	队长	护士长	＿＿长	＿＿长	＿＿长
画家	科学家	发明家	＿＿家	＿＿家	＿＿家
教师	厨师	律师	＿＿师	＿＿师	＿＿师

学者	读者	作者	____者	____者	____者
歌手	新手	助手	____手	____手	____手
明星	歌星	影星	____星	____星	____星
歌迷	影迷	球迷	____迷	____迷	____迷
文学	数学	社会学	____学	____学	____学
工具	家具	雨具	____具	____具	____具
温度	高度	深度	____度	____度	____度
现代化	工业化	全球化	____化	____化	____化
可能性	实用性	灵活性	____性	____性	____性
作品	艺术品	工艺品	____品	____品	____品

（汉语这类名词语素很多，再如：生、工、友、汉、界、队、族、鬼、论、气、风、率、型、形、式、厂、场、站、器、机、法……等，也可以用来识别名词。）

三、利用名词的形式特征识别名词，并在你识别出的名词下面画线。

1．星期日我和王丽一起去商店，我买了一块披肩，她买了按摩器。

2．明天女朋友生日，张文打算给她买一束丁香。

3．孩子把唐三彩打碎了，爸爸很生气。

4．张先生是当地数一数二的富翁，他有豪华的游艇，还有漂亮的别墅。

5．李亮很饿，一下子就把那盘糖醋里脊吃完了。

6．今天李芳戴了一个戒指，上面镶嵌着一颗梨形钻石。

7．公司花了很多钱设计这种香水的包装，把本来很便宜的香水包装得好像高级香水一样。

8．妹妹才21岁，就是一个记者了，她认识的名人都是文艺界的。

9．请你把这副鹿角挂在中间的柱子上。

10．这些是国家储备了三年的粮食，现在准备把这些储备拿出来送给灾区的人民。

11．餐桌上放着三把勺子、三双筷子、三把叉子，还有四个碟子。

12．他是我们选出来的代表，当然能代表我们。

13．家长们只关心学校的升学率和通过率，别的对他们来说都无所谓。

14．玛丽认为：男人有点孩子气可以接受，但有女人气就不行。

15．很多人怕脏，愿意用一次性餐具；可是，这些一次性餐具会造成很大的污染。

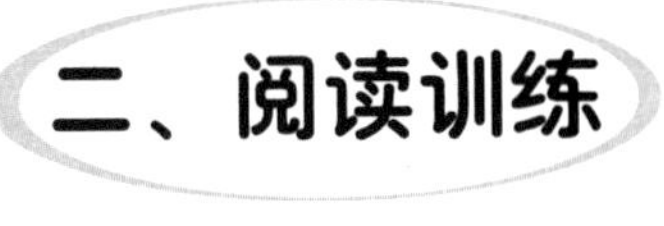

6800种语言排座次

根据“*世界观察组织*”和美国“*夏季语言学研究所*”的估计，全世界使用者最多的语言是*中国*的普通话，一共有8.85亿人使用。第二是*西班牙*语，使用者大概有3.32亿人。英语第三，全世界有3.22亿人使用。

至于语言的发源地，全世界6800种语言中，有32%来自*亚洲*，30%来自*非洲*，来自*欧洲*的只有4%。

*巴布亚新几内亚*有832种语言，是全世界语言最“丰富”的国家，第二是*印尼*，有731种。

“世界观察组织”指出，全世界6800种语言中，有90%有消失的危险。

（根据《长沙日报》2002年8月文章改写）

根据课文内容填空：

1. 全世界有__________种语言。
2. 全世界说__________语的人最多。
3. 说西班牙语的人在全世界排第__________位。
4. 有32%的语言发源地是__________。
5. 巴布亚新几内亚有语言__________种。

生词

座次	zuòcì	（名）	order 名次、位置的前后顺序
至于	zhìyú	（连）	as to
发源地	fāyuándì	（名）	一个东西（河、思想、理论、语言等）最早开始的地方
消失	xiāoshī	（动）	没有了

阅读二

法国保护法语文化

对英语在全世界的流行，最不服气的是*法国*人，所以法国人最不愿意说英语。以前，法语的优雅在全世界是有名的，几个世纪以来一直是有钱、有地位的人使用的语言，它的地位比英语高得多。

可是现在情况不能和过去比了。为了法语的地位，法国每年都花大量的钱在全世界推广法语，在国内也用各种方法消除英语的影响。如：法国制作的电视、电影等各种文化事业一直受到政府的金钱上的帮助；“*法语学会*”是一个以保护法语为目的的政府组织；英语是*互联网*上最主要的语言，为了提高法语在互联网上的重要性，这个学会去年曾出了一本互联网用语的法语词典……法国正在为法语文化在世界上的地位做不断的努力。

（根据《语言文字周报》2002年11月6日文章改写）

判别正误：

1. （　）英语的地位一直都比法语高。
2. （　）现在英语在全世界非常流行。
3. （　）法国人希望英语的地位比法语高。
4. （　）法国政府为制作法语电视、电影提供钱。

生词

流行	liúxíng	（动、名）到处都受欢迎，很多人喜欢、使用
服气	fúqì	（形）be convinced 从心里觉得他（她、它）做得比自己好
优雅	yōuyǎ	（形）elegant 动作和语言漂亮、有文化的样子
推广	tuīguǎng	（动）使更多的人知道、使用
制作	zhìzuò	（动）to make, to produce 做
消除	xiāochú	（动）to eliminate 让它不能继续在那里
互联网	hùliánwǎng	（名）Internet

阅读三

爱心无价

有一位孤独的老人，无儿无女，体弱多病，他决定搬到养老院去。虽然老人曾经是一个富翁，但是现在他很老了，也没有太多的钱了，老人宣布出售他漂亮的住宅。

因为这是一座有名的住宅，所以听到消息前来购买的人非常多。住宅的底价是200万人民币，但是很快就到了250万人民币，而且价钱还在不断上升。老人坐在沙发里，心里很难过。是的，要不是身体不行，钱不够用，他是不会卖掉这座他生活了好几十年的住宅的。

一个穿得很朴素的青年来到老人面前，弯下腰低声说："先生，我也想买这座住宅，可是我只有30万人民币。"老人说："但是，它的底价就是200万人民币啊！而且它现在已经上升到250万了。"青年并不放弃，他诚恳地说："如果您把住宅卖给我，我一定会让您继续生活在这里，我和你一起喝茶、读报、散步，就像跟我的父亲在一起一样。相信我，我会用整颗心来照顾您！"

老人的眼睛亮了，他站起来，让人们安静："朋友们，这座住宅的新主人，就是这个小伙子！"

就这样，青年成了这座漂亮住宅的新主人。

（改写自《平顶山晚报》2003年7月31日 郑雪）

一、根据课文内容选择正确答案：

1．第一段"住宅"是什么词？

A.动词　　B.名词　　C.形容词　　D.副词

2．第三段"底价"是什么词？

A.动词　　B.名词　　C.形容词　　D.副词

3．以前老人怎么样？

A.有钱　　B.没有钱　　C.多病　　D.孤独

4．现在老人怎么样？

A.孤独　　B.体弱多病　　C.没有太多钱　　D.A.B和C

5．这座漂亮的住宅最少可以卖多少钱？

A.30 万人民币　　B.200 万人民币　　C.250 万人民币　　D.比 250 万还多

6. 老人那么便宜地把住宅卖给那个小伙子，是因为
A.他有很多钱　　B.他长得很帅　　C.他有爱心　　D.他是老人的儿子

7. 老人以后怎么样？
A.很幸福　　B.很孤独　　C.很穷　　D.不知道

二、词语讨论：

"爱心"是什么意思？ "爱心无价"是什么意思？

生 词

孤独	gūdú	（形）	因为一个人而有的不愉快的感觉
体弱多病	tǐruòduōbìng		身体不好，很多病
养老院	yǎnglǎoyuàn	（名）	不跟家人住在一起的老人住的有专门的人照顾的地方
富翁	fùwēng	（名）	有钱的男人
住宅	zhùzhái	（名）	住的房子
底价	dǐjià	（名）	最低的价钱

（出售 chūshòu、购买 gòumǎi）

阅读四

谁是最优秀的

1969年的一天，美国最有名的心理学家、哈佛大学的罗森塔尔博士来到加州的一个小学，说要在这里进行一项实验。

新学年开始时，罗森塔尔博士从全校6个年级的老师中选出6位老师，让校长对他们说："根据你们过去的教学表现，你们是各年级中最优秀的老师，因此，我们从各个年级中挑选了最聪明的学生组成6个班让你们教。这些学生的智商比其他孩子都高，希望你们能让他们取得更好的成绩。但是，我对你们还有一个要求，那就是不能让孩子或孩子们的家长知道他们是被挑选出来的。"6位老师都很愉快地接受了任务。校长把一份"最聪明的学生"的名单交给了那6个老师。

半年之后，学校考试，奇迹出现了：被选出的那6个班的学生，个个成绩都有了非常大的进步，总成绩在整个学区排第一名，而且学生都比以前变得更加开朗、更有自信心了。这时，校长才告诉大家真相：这些学生和老师并不是被特别挑选出来的最优秀的老师和最聪明的学生，而是罗森塔尔博士随便选出来的老师和学生。

为什么会出现奇迹？这6位老师都认为自己是最优秀的，因此对教学工作充满自信，工作也特别努力；又因为认为学生都是高智商的，老师又把这一点用自己的语言和行动暗示给学生，使学生也变得更加自信，因此他们各方面都取得了特别大的进步。

（改写自《新民晚报》2002年8月19日）

根据课文内容选择正确答案：

1. 第二段“智商”是一个什么词？
   A.动词　　B.名词　　C. 形容词　　D. 副词

2. 第二段“名单”是一个什么词？
   A.动词　　B.名词　　C. 形容词　　D. 副词

3. 罗森塔尔博士到这个小学做什么？
   A.看学生　　B.看校长　　C.做试验　　D.卖东西

4. 校长告诉那6位老师，他们是：
   A.最好的老师　　B.最差的老师　　C.随便选出来的老师　　D.最聪明的老师

5. 事实上，这6位老师是：
   A.最好的老师　　B.最差的老师　　C.随便选出来的老师　　D.最聪明的老师

6. 这6位老师教的那6个班的学生是：
   A.最好看的学生　　B.最差的学生　　C.随便选出来的学生　　D.最聪明的学生

7. 半年以后，这6个班的学生
   A.跟以前一样，没有变化　　B.学习成绩进步很大
   C.更加活泼开朗、自信心强　　D.B 和 C

8. 这个试验说明：
   A.有自信心的人能成功　　B.没有自信心的人能成功
   C.这 6 个老师很优秀　　D.这 6 个班的学生很聪明

生 词

心理学　xīnlǐxué　（名）psychology　研究人的思想、感情的学科
智商　zhìshāng　（名）IQ
开朗　kāilǎng　（形）性格“开朗”的人容易交朋友，总是比较高兴，有什么都说出来
自信　zìxìn　（形）self-confident　自己相信自己能做好
奇迹　qíjì　（名）miracle　一般不会发生的（好的，奇怪的）情况
暗示　ànshì　（动）to imply　不直接告诉，用别的、秘密的办法让人自己去明白
（博士 bóshì、实验 shíyàn、名单 míngdān、真相 zhēnxiàng）

专 名

加州　Jiāzhōu　加里弗尼亚州，美国西部的一个州
学区　xuéqū　美国学校系统中划分的区

第六课

一、技 能

词性识别之二——动词识别

汉语的动词主要表示动作行为。还可以表示心理活动或存在、变化、消失等。比如：走，看，爱，学习，喜欢，讨厌等。动词有以下一些形式特征：

(1) 动词一般能作谓语，多数动词可以带宾语。如：看电视，听录音，学习汉语等。

(2) 动词一般前边能加副词“不”或“没”，比如：不走，不听，不学习，没听说，没想到等。多数动词前边不能加程度副词。如：“很”“非常”等。表示心理活动的动词前边能够加程度副词。比如：很喜欢，很感动，很想念。

(3) 动词后边一般可以后带动态助词“着、了、过”，如“吃着饭，看了电影，学过汉语”；以及“上、下、出去、起来……”等趋向补语，如“爬上，跳下，走出去，站起来”。

(4) 表示可能、意愿的动词必须跟动词、形容词一起用，后面不能带“着、了、过”。如“愿意去当兵、应该学汉语”等。

(5) 助词“地”后面，“得”的前面常常是动词，如“慢慢地说、跑得很快”。

(6) 一部分动词可以重叠。单音节动词重叠是AA式，如：走走，看看，想想。双音节动词重叠是ABAB式，如：学习学习，打扫打扫，收拾收拾等。

动词按不同的标准可分为不同类别。按能不能带宾语可分为及物动词与不及物动词两类。按表示的意义可分为七小类：

(1) 表示动作行为：走，看，学习，讨论等

(2) 表示心理活动：爱，恨，想，认为等

(3) 表示存在、出现、消失：有，存在，出现，出生等

(4) 表示使令：让，叫，请，使，要求等

(5) 表示趋向：来，去，起来，下去等

(6) 表示判断：是

(7) 表示可能：能，会，可以，愿意，应该，敢，肯等

练习

一、利用动词的形式特征识别动词，并在你识别出的动词下面画线。

1. 去年，我们曾经聚过一次。
2. 到了年底，资金要适当控制控制。
3. 他们在小组赛时就被淘汰了，没进入决赛。

4. 科学家们坚持不懈地探索着宇宙的奥秘。
5. 妈妈让我锁了门才走。
6. 学校的纪律到了该整顿整顿的时候了。
7. 农民们被地主压迫得走投无路。
8. 病人的头止不住地摇摆起来，医生很担心他。
9. 泉水从地层深处涌出来，不间断地奔流着。
10. 这样做既侵犯了她的权利，也伤害了她的感情。
11. 请你不要这样侮辱一个老人！
12. 你瞧瞧，桌子还没抹干净呢！

二、用线把左边的动词和右边的宾语连接起来：

布置	知识
增长	孩子
展开	任务
理解	消息
改正	讨论
打听	缺点

三、指出下列句子中动词的意义类型。

1. 睡觉前，服务员为我铺好了床。
2. 神是不存在的。
3. 国家失去了一个伟大的英雄。
4. 人们总是非常怀念自己的童年时代。
5. 你敢说，我就能做。
6. 这件事情使大家对他完全失望了。
7. 我很怀疑你说的话是不是真的。
8. 一定要想办法消除他的坏影响。

二、阅读训练

阅读一

爱的理由

在我家隔壁，住着一对老夫妇。丈夫是一个中学教师，高高瘦瘦的足有1米80；妻子没有文化，又矮又胖，身高只有1米52，体重却有170多斤。我们周围的许多人都不明白，像他们这两个人，为什么能够结合在一起？一般来说，这样两个不一样的人是很难结合在一起的，然而他们不但结合了，而且还恩恩爱爱地走过了近60个春秋。

在一次聊天时我问老人："你们俩不管是胖瘦、身高还是文化程度都很悬殊，你们为什么能结合在一起，并且还恩恩爱爱地走过了这么多年？"老人笑了笑对我说："其实很简单，因为爱。她爱我，我也爱她。在爱情面前，体重不是压力，身高也不是距离，学历更不是问题，有许多时候，爱是不需要理由的。"

（摘自《天津老年时报》 贾登云）

一、根据课文内容判断正误：

（ ）1．这对老年夫妇身高和体重都差不多。

（ ）2．他们互相尊敬互相爱护。

（ ）3．他们结婚差不多60年了。

（ ）4．他们都是中学教师。

二、说出文中加色词的意思。

生 词

恩爱 ēn'ài （形） (of a married couple) be deeply in love with each other
互相爱得很深，关系很好，一般用来形容夫妻

压力 yālì （名） pressure, tension

学历 xuélì （名） record of normal schooling
学习的经历，指曾经在什么级别的学校毕业。如中学学历、大学学历

阅读二

女孩与零食

零食，指的是一些零碎小食品。零食可以放在口袋里或者拿在手里，随便你怎么吃都可以。那种自由随便，真是太"酷"了。

人们总是把女孩和零食联系在一起，确实，女孩吃零食可真是很有一套！

当女孩们坐在沙发上聊天，看电视时，零食是必备的。聊天时手里嘴里得有东西，有助于思考和倾听。看电视时，抱着一大袋子薯片，一边保持有规律的掏、送、嚼、咽这套动作。不知不觉，数不清的*薯条*、*薯片*被沙发、电视同化了。在这时，最适合的零食有*曲奇饼干*、*开心松子*、*开心果*，各种口味的*乐事*、*品客*、*卡迪那薯片*、*通心脆*。

当女孩们一起去电影院看电影时，为了保持公共场所的安静，特别准备了经典传统食品——爆米花，还有*巧克力威化*、*话梅*等。但不得不提到*棉花糖*，它适合所有人群。

其实，女孩随时随地在她们的背包里都会有一两种零食，甚至连写作业时，嘴里还是不闲着。

如果，你不知道该怎样"吃"零食，那就问问你旁边的女孩们吧！

（摘自"中少网" 陶然）

一、根据课文内容选择正确答案：

1. 哪种零食文中没有提到：
A.薯条　B.话梅　C.曲奇饼干　D.口香糖

2. “爆米花”是下面哪一项活动的经典食品：
A.聊天　B.看电视　C.看电影　D.写作业

3. 女孩在聊天时喜欢吃零食，因为她们认为零食：
A.使她们看起来很“酷”　B.会让她们感到很随便
C.有助于思考　D.使她们更精神

4. 下面哪一种说法与文章的意思不一样：
A.女孩们看电视时喜欢吃零食
B.女孩的背包里常常有零食
C.女孩们都不喜欢吃棉花糖
D.吃零食很随便自在

二、请在文中找出下面的动词，与同学讨论它们的意思。

掏　送　嚼　咽

生词

零食 língshí （名） snack 在三顿饭以外吃的糖果、饼干、冰激凌一类的食品
思考 sīkǎo （动） to consider, to think 想、考虑
同化 tónghuà （动） to assimilate 使一样，使相同
经典 jīngdiǎn （形、名） classical; classic 有代表性的，时间比较久的
（零碎 língsuì、酷 kù、必备 bìbèi、倾听 qīngtīng）

阅读三

失踪花猫千里回家

*布洛克*太太对自己的猫儿*汤姆*能从千里以外回来，感到非常意外。猫儿在离家1243公里的地方失踪了，7个月以后，他意外地回到了家里。

7个月以前，布洛克太太第一次带着猫儿出远门，到*离密执安州*1243公里的*阿肯色州*度假。到达度假的地方以后，才发现汤姆不适应新环境，非常不安。汤姆是布洛克太太从小养大的，没想到那天晚上它悄悄地离开了她。

汤姆失踪以后，布洛克太太一家非常难过。7个月以后，它突然出现在家门口，使全家人喜出望外。

原来，这只猫儿到达度假的地方以后，非常不安，那天晚上就开始回它的老家。虽然路非常远，但是，猫儿凭着天生的本领成功地回到了自己的家。

布洛克太太把猫儿送到兽医院检查，发现它在这7个月中受了很多苦。汤姆不但比以前瘦了几斤，而且毛色也比以前脏，还有好几处伤。

(根据《趣闻》中文章改写)

根据课文内容选择正确答案：

1.“度假”的意思是：

A.度过　B.假日　C.度过假日　D.放假

2.“养”的意思是：

A.长　B.买　C.喂　D.住

3. 汤姆是谁？

A.布洛克太太的儿子的名字　B.布洛克太太的丈夫的名字

C.布洛克太太的猫儿的名字　D.布洛克太太的家的名字

4. 汤姆为什么不跟布洛克太太一起度假？

A.因为汤姆不喜欢布洛克太太　B.因为汤姆在新环境非常不安

C.因为度假的地方没有东西吃　D.因为度假的地方不干净

5. 汤姆的家离度假的地方有多远？

A.1243公里　B.7公里　C.1000公里　D.不知道

6. 汤姆在回家的路上怎么样？

A.非常不安　B.非常舒服　C.吃了很多东西　D.受了很多苦

生词

失踪	shīzōng	（动）	to miss, to lose　找不着了，不见了
喜出望外	xǐchūwàngwài		be pleasantly surprised 发生了或遇到了没想到的好事情，特别高兴
凭	píng	（动）	to depend on　依靠，依赖

阅读四

美国的动物“运动会”

美国人经常举行各种各样有意思的动物“运动会”。2月举行骆驼比赛，5月举行癞蛤蟆跳远比赛和青蛙跳高比赛，8月举行乌龟爬行比赛和火鸡快走比赛，9月举行大象跑步比赛。在美国得克萨

*斯州*的格兰德，每年都要举行一次国际“飞鸡”比赛。

1981年的癞蛤蟆跳远比赛，有3000只癞蛤蟆参加。一只叫“杰克”的选手获得了这次比赛的冠军，成绩是5.64米。1983年的青蛙跳高比赛最好的成绩是6.2米。

在今年的大象跑步比赛中，一头10岁、名字叫*奈列*的大象，以23秒的成绩获得第一名，不但主人获得了金杯，而且*奈列*也得到了500磅花生的奖品。

（根据《寒假园地》中文章改写）

填空：

1. 常常举行各种动物运动会的是__________国。
2. ______________月举行骆驼比赛。
3. 8月举行______________比赛。
4. 1981年有_______________只癞蛤蟆参加了跳远比赛，这次比赛的最好成绩是__________米。
5. 今年的大象跑步比赛，获得冠军的大象名字叫______________，它得到的奖品是_____________。

生词

选手　xuǎnshǒu　（名）player　挑选出来的参加体育唱歌等比赛的人或动物

获得　huòdé　（动）to gain　取得，得到

（骆驼 luòtuo、青蛙 qīngwā、火鸡 huǒjī、癞蛤蟆 làiháma、乌龟 wūguī）

读后说(2)

20世纪，女性的生活发生了很大的变化，那么21世纪又会怎么样呢？以下是几个中国人对21世纪新女性的看法。四位同学一个小组，每位同学读一个中国人的看法，然后，把她/他的看法用自己的话向同组的同学介绍介绍。

北京　刘小艺(女，23岁，某公司经理)：

美丽与成功有很大的关系。我相信21世纪的女性的美丽与成功是分不开的，你穿得好，精神好，对客户是礼貌、负责，使人对你有好感，自己也特别有信心。我工作两年了，虽然不是一开始就很会穿衣服，但现在我有时候一个月会花上几千块买衣服。外表实在是太重要了。

生词

外表　wàibiǎo　（名）appearance　看起来的样子

广州　Suki(女，27岁，公司经理)：

以前人们认为有事业的女人是这样的：看上去很酷(COOL)，不结婚不生孩子。这一年，我有很多机会与一些有事业的女性在一起，其中不少是很成功的。我发现，现在的有事业的女人不同了，她们看起来与其他人没有什么不一样，而且都有幸福的家庭，可爱的孩子。

前两年，一个想要成功的女人能得到那么多吗？工作、婚姻，只能选其中一个。今天的女性有能力同时拥有这两样，她们认为幸福就是事业和婚姻都要。

生词

事业　shìyè　（名）career

婚姻　hūnyīn　（名）marriage

香港　陈淑美(女，44岁，工厂主管)：

21世纪的女性个个都是聪明的，漂亮的。但是，除了更漂亮、更聪明以外，她的本质应该还是不变的——特别希望被爱、被保护，在困难时有一个可靠的男人的帮助。我认为自己就是这样的女性，我让丈夫当我们的工厂的老板，我自己站在他后面，帮他管管钱。

男人与女人是不一样的，生下来就是这样。所以，21世纪的女人虽然会更关心自己，但做一个好母亲和好太太还是她们的梦。

生词

本质　běnzhì　（名）nature　人、物、事情最根本的特点

沈阳　陈凯德(男，32岁，大学老师)：

有知识的男人都认为男女是平等的。如果女人比他们好、比他们强，男人也觉得没关系。在我的单位，电脑水平最高的是女性；我大学同班同学中，学习最好的也是女性。再看社会上，成功的女性也不少。所以在新世纪中，女性的社会地位肯定会越来越高。回头看历史，女性进步是一个发展的方向，它从另一个方面提醒男人们，要努力，要加油。

生词

平等 píngděng （形、名）equal; equality　地位高低一样。

内容讨论：

1．你认为对于女人来说，外表、事业和婚姻哪个更重要？
2．你认为男人和女人天生的本质就是不一样的吗？

第七课

一、技 能

词性识别之三——形容词的识别

汉语的形容词有单音节的，也有双音节的。单音节的比如：大、好、红、甜、远、直、多等。双音节形容词比如：干净、漂亮、美丽、清楚、聪明、灵活、骄傲、坚决等。还有一些带后缀的形容词，比如：绿油油、红通通、黑压压、凉丝丝、酸溜溜、亮晶晶、乱哄哄等。

形容词有以下一些形式特征：

1．大多能受程度副词的修饰，比如：很大、非常漂亮。这些程度副词常见的有：很、非常、相当、特（别）、比较、最、太、真、有点、十分、多么……等等。

2．大多数能作谓语，一般后面不能带宾语，如：这个房间大，那件衣服很短，广州很暖和，她的手冰凉等。

3．做定语修饰名词，如：大房间，长大衣，红太阳，方桌，美丽的风景，鲜艳的颜色等。

4．部分形容词可以重叠，单音节形容词的重叠形式为：A−AA的，比如，红红的苹果，好好学习等；双音节的形容词的重叠形式为：AB−AABB,比如，清清楚楚，漂漂亮亮，整整齐齐等。这是形容词的主要重叠形式。

5．形容词也能做状语，双音节或多音节形容词做状语的时候，后面常常有“地”。如，愉快地生活，高兴地说……利用形容词的这些形式特征，我们便有可能识别形容词。

练习

一、写出下列形容词的重叠式：

高　瘦　小　厚　老实　痛快　明白　热闹

二、利用形容词的形式特征识别形容词，并在你识别出的形容词下面画线。

1．这篇文章特别枯燥。
2．新娘要把自己打扮成世界上最高贵、最富有的人，穿最华丽的衣服，坐最高档的汽车，风风光光地出嫁。
3．谁也没想到，这位娇滴滴的姑娘赢得了王子真诚的爱情。
4．她家来了一个斯斯文文的姑娘。
5．她非常准确地回答了记者的问题。
6．一个优秀的管理人员具有的能力是多方面的。
7．在面试中，她表现得不太冷静。
8．优雅时髦的“白领丽人”成了时下流行的语汇。
9．精美的窗饰是这座房子典型的建筑特点之一。

10. 有人认为年轻一代的诗人的自信心是相当脆弱的。
11. 他们顽强地在球场上拼搏，平稳地发挥了自己的技术水平，最后，顺利地拿下了冠军。
12. 我给他写了不下十封信，可他就是迟迟不回。

三、下面句子中相同的词，哪一个是形容词？

1. 安定
   A.现在正在打仗，到处都很危险，可是这一带还比较安定。
   B.听说公司要倒闭了，大家都很害怕，经理跟大家谈话，安定大家的情绪。

2. 端正
   A.如果你不端正你的学习态度，肯定无法取得好成绩。
   B.她长得不算漂亮，可是很端正。

3. 酸
   A.这菜醋放多了，太酸！
   B.昨天我们一口气走了三十里山路，今天早上我的腿肚子直酸。

4. 先进
   A.老李先进工厂，大宿舍应该给他住。
   B.工厂进口了一批新设备，是目前最先进的。

5. 危险
   A.他把危险看成是对自己的考验。
   B.这里特别危险，你别再这样考验自己了。

6. 圆
   A.他有一个圆圆的大脑袋，看起来很聪明。
   B.折腾了半天，又回到了起点，划了一个圆。

7. 快乐

   老人们快乐地唱起了以往的老歌，美好的时光仿佛又回到了眼前，那些年轻时的快乐是什么也不能形容的。

8. 苦恼

   最近，他最大的苦恼是开始掉头发。头发越来越少，同事们常常拿这个开他的玩笑，他听了，除了苦恼地笑一笑之外，没有其他办法。

9. 意外

   他本来想连夜开车回家，给她一个意外的惊喜，可是没想到，在高速公路上发生了可怕的意外。

10．温暖

温暖的话语，亲切的笑容，丰盛的饭菜，精美的礼物……这一切都让来自贫困山区的孩子们感到了从未感受过的温暖。

二、阅读训练

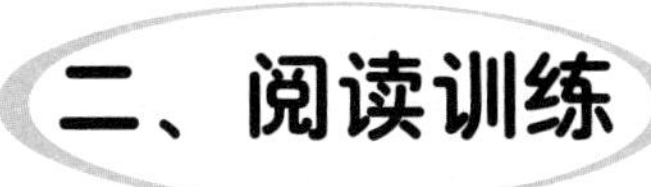

阅读一

花

有一位卖花人告诉我，几乎所有的白花都很香，越是颜色艳丽、样子复杂的花越不香。他的结论是：人也一样，看起来越朴素、简单的人，越有内在的芳香。

有一位卖花人告诉我，夜来香其实白天也很香，但是很少闻得到。他的结论是：因为白天，人的心太浮躁了，闻不到夜来香的香气。如果一个人白天的心也很沉静，就会发现夜来香、桂花、七里香，连酷热的中午也是香的。

有一位卖花人告诉我，早上买莲花一定要挑那些完全开了的。结论是：早上是莲花开放最好的时间，如果一朵莲花早上不开，可能中午和晚上都不开了。我们看人也是一样，一个人在年轻的时候没有志气，中年或晚年就更难有志气了。

有一位卖花人告诉我，越是昂贵的花越容易凋谢，那是为了要向买花的人说明：要珍惜青春呀，因为青春是最贵的花，最容易凋谢。

每一株玫瑰都有刺，正如每一个人的性格中，都有你不能接受的部分。爱护一朵玫瑰，并不是得努力把它的刺去掉，只能学习如何不被它的刺刺伤。还有，如何不让自己的刺刺伤自己心爱的人。

一、根据课文内容选择正确答案：

1．夜来香是：

A.一种香水　　B.一种花　　C.一种香料　　D.一种菜

2．莲花开放的最好时间是：

A.早上　　B.中午　　C.夜里　　D.下午

3．下面哪一种花文中没有提到：

A.玫瑰　　B.桂花　　C. 莲花　　D.梅花

4．下面哪一种说法不是这篇文章要说的道理？

A.越朴素简单的人，越有内在的芳香

B.一个人在年轻的时候没有志气，中年或晚年就更难有志气了

C.青春是最贵的花，最容易凋谢

D.怎样不让玫瑰的刺刺伤自己心爱的人

二、词语讨论。

1. 请在文中找出下列词语的反义词，他们是什么词？

艳丽：

浮躁：

便宜：

2. 最后一段有6个“刺”，哪几个是名词？哪几个是动词？“刺”是什么？

生词

艳丽 yànlì （形）colorful 因为颜色多而美丽

朴素 pǔsù （形）plain 颜色少，简单

浮躁 fúzào （形）superficial and impatient 心理不平和，不稳定，常想很快地做成一件事情

志气 zhìqì （名）ambition 想要成功的决心

凋谢 diāoxiè （动）花开完了，花死了

珍惜 zhēnxī （动）to cherish, to treasure 特别地爱护

（内在 nèizài、芳香 fāngxiāng、酷热 kùrè、刺 cì、心爱 xīnài）

阅读二

旅游流行“中外合团”

*中国*旅游行业一般把旅游团分为国外团和国内团。现在，一种“中外合团”的旅游形式开始流行起来。“中外合团”是既有中国游客，也有国外游客的旅游团，又叫作“中外宾客同车游览”。中外游客同车、同酒店、同餐桌、同行程、同导游。

中外合团的形式很受欢迎，这是因为它迎合了游客相互交流的需求。许多国外游客到中国来，都希望有机会跟中国人接触，希望了解中国文化和风俗。参加这样的旅游团，就给他们提供了机会。这些国外游客大多数是*欧洲*人，也有*美国*、*加拿大*人。国内游客也很欢迎这种旅游形式，因为这给他们提供了接触外国人、了解西方文化的机会，还可以练习外语。虽然中外合团的价格比一般的旅游团价格贵，但却有不少中国人参加。

（根据《钱江晚报》2002年11月文章改写）

一、判别正误：

1. （　　）中国的旅游团有境外团、国内团和中外合团几种。
2. （　　）有中国游客，也有境外游客的旅游团叫中外合团。
3. （　　）只有中国人喜欢中外合团，外国人不喜欢中外合团。
4. （　　）中外合团为中外游客互相交流提供了机会。
5. （　　）中外合团很便宜，所以参加的人很多。

二、词语讨论

“旅行团”是指一起去旅行的集体，这是一个偏正式短语，那么，“英国友好参观团”是什么意思？“中国体育代表团”是什么意思？你还能说出一些“团”作后边的语素的词语吗？

生词

导游 dǎoyóu （名）tour guide 带着游客玩的人

形式 xíngshì （名）form 事物的形状和组成方式

行程 xíngchéng （名）route or distance of travel 从一个地方到另一个地方要走的路

提供 tígòng （动）to provide 供给意见、条件等

阅读三

德国男人和巴黎女人

到达*德国*的*科恩*时，因为导游没来接我们，大家只得坐在机场等。一等就等了6个小时，男同志都十分不耐烦，但女同志却把机场上的德国男人看了个够，才知道，男人也可以这样漂亮！他们个子高高的，个个都有一张像*007邦德*一样英俊的脸，而且，他们是多么优雅、高贵、彬彬有礼啊！

最让我们这些女人喜欢的是，这些德国男人十分浪漫——来接飞机的大都是男人，他们有的是接太太，有的是接女友，手里大都一支玫瑰花，见到女友或太太后，一阵长吻。有一位德国男人带了朋友一块来接女友。女友笑着跑过来，朋友接过行李，男人抱着女友长吻，吻了有十几分钟还没结束，而他的朋友推着行李，微笑着在旁边等着。朋友小蓉说：“我真想马上变成德国女人。”

*欧洲*六国走完，大家都认为，德国的男人最漂亮，*巴黎*的女人最漂亮。有一次，一位美丽的巴黎女人拉着她的小狗从我们身边的草地走过，小李一边看一边说：“到了巴黎，才知道自己结婚太早。”还没说完，就摔了个仰面朝天，原来他踩到狗屎了。

（作者 翟永存 改写）

一、根据课文内容选择正确答案：

1．关于作者的旅行，以下哪种说法不正确？

A.作者只去了德国和法国　B.他们坐飞机到德国

C.跟作者一起去欧洲的人里有一位是小李　D.在德国机场导游没来接他们

2．作者认为德国男人：

A.喜欢跟人接吻　B.喜欢带了玫瑰花去机场接人

C.既英俊又浪漫　D.结婚太早了

3．第一段“女同志把机场上的男人看了个够”的意思是：

A.女同志觉得机场上的男人够多了　B.女同志觉得机场上的男人不够多

C.女同志看一看机场上的男人够不够　D.女同志在机场上看到很多很多男人

4. 男人“吻”他们女人的：

A.嘴　B.手　C.脚　D.背

5. 文章我们可以推测出：（可选多项）

A.德国男人最漂亮　B.小李结婚了

C.巴黎女人最漂亮　D.中国男人可能不太浪漫

E.巴黎有狗屎　F.作者不喜欢小李

6. 小李说：“到了巴黎，才知道自己结婚太早”的真正意思是：

A.应该早一点儿到巴黎来结婚　B. 巴黎人结婚比较晚

C.早结婚才能来巴黎　D. 要是结婚以前来巴黎可能找到更好的太太

二、请把文章第一、二段中的形容词找出来。

生词

耐烦　nàifán　（形）patient　有耐心，一般只用否定形式“不耐烦”

高贵　gāoguì　（形）noble

彬彬有礼　bīnbīnyǒulǐ　refined and courteous　很有礼貌的样子

浪漫　làngmàn　（形）romantic

（吻 wěn、屎 shǐ）

专名

007 邦德　Bāngdé　James Bond

阅读四

读手机号码的方法

现在，手机号码有11位，人们读法各不相同，有的人用“三三三二”（139、013、138、85）读法，有的人用“三三五”（139、013、13885）读法，大多数人则用“四三四”（1390、131、3885）读法，这使互相交流很不方便。

据一位有经验的语文教师介绍，如果有节奏地读一长串数字，会使听者比较容易记住。“四三四”的读法节奏最好，也是人们用得最多的。据不完全统计，有大约50%的人用“四三四”读法，而用“三三五”、“三三三二”及其他读法的人总共不到50%。“四三四”读法也是听者最容易记住的。“三三五”读法也有较多人用，但最后5个数字连在一起快读的话，不容易记住。“三三三二”读法的缺点是停顿太多。

（根据《羊城晚报》2002年10月文章改写）

填空：

1．读手机号码最好的方法是______________________________。
2． 有______________________________人用“四三四”读法。
3． “四三四”读法的优点是______________________________。
4． 除了“四三四”读法以外，还有______________________________读法。
5．手机号码13503330958用“四三四”读法是______________________________。

生词

节奏	jiézòu	（名）	rhythm
串	chuàn	（量）	string, bunch 连成一行的东西
统计	tǒngjì	（名）	statistics 有关数目、资料的收集、计算、整理和分析等
停顿	tíngdùn	（动）	to stop, to pause 做事情的时候中间停了一下

看照片

摄于上海市

（照片文字）**出租车不准进校**

“不准”“请勿”

“不准”“请勿”是汉语标语中常用词语，表示不能做某事。如：

不准高声喧哗

请勿拍照

练习

1．请用“不准”“请勿”各说一个标语，或抄一个有“不准”“请勿”字样的标语交给老师。
2．看看其他牌子上写的是什么

第八课

一、技能

词性识别之四——量词的识别

量词

“有一个人买了一头驴。”那人买了什么？是“头驴”，还是“驴”？应该是“驴”，那么，“头”是什么？是量词。

在汉语里，数词和名词一般不能直接在一起，中间要有量词。

还有一种量词是动量词，也是在数词的后面，但数词跟在动词的后面，例如：“为这件事，他难过了一阵”中的“阵”；“我去过两次北京”中的“次”。

很多名词本来不是量词，但它们常被借来做量词，如“两碗饭、三杯茶”中的“碗、杯”；还有些名词常跟“一”连用，表示“满”的意思，如“一桌子书、一屋子人、一头汗”。

很多词有时是名词，有时是量词，看的时候，要注意。有时，数词“一”也会被省略，特别是在“这”和“那”的后面。

还有的量词不直接跟名词在一起，那怎么判定呢？“一位穿红衣服的姑娘”或者“一位英俊的男士”：“位”跟在数词“一”后面；而“姑娘”和“男士”在“的”后面，因此可判定为名词，那么“位”也可判定为量词。

在阅读时，如果你遇到一个生词，一旦你判断出它是量词，那么即使你不认识它也没关系，一个完全陌生的量词不会影响你对句子／文章的理解。有时，反过来，你可以根据某个量词去判断它后面的名词或整个句子的意思。回到前面的句子“一头驴”，假设你没学过“驴”，那么你能根据量词“头”推测出它可能是一种动物。再读读这两个句子：“这棵苹果真好啊！”“这个苹果真好啊！”这两个“苹果”有什么不同呢？

同一个词，不同词性和词义

“白衣服”和“白洗了一次衣服”，里都有“白”，但我们能很容易地看出，前一个是名词，后一个是副词，意思也不一样。我们经常遇到的情况是，我们已经知道“白衣服”的“白”是白色，但“白洗了一次”的“白”，还没学过。阅读时一定要小心，不要把两个“白”看成同一个“白”。

但是，一般来说，不同词性的同一个词，意思即使不同，之间也有一定的关系，因此，如果你学过其中的一个，往往可以用来推测另一个的意思。例如：“车已经过桥了。”“过”是动词，意思大家都知道。现在来看这一句：“她开车过快。”这个“过”是副词，意思你能猜出来吗？

练习

一、找出下列句子中的量词。

1．她猛地给我一个吻，我心里一阵激动。
2．森林一片寂静，巫师把一把米撒在了那棵树的周围。
3．我真想有一座四面墙上长满青藤的小房子。
4．我们听先生讲了一堂课，真有“听君一席话，胜读十年书”之感。
5．一声巨响，什么声音？原来是气球破了，身上有条纹的猪仔从高空落下，摔断了一条腿。
6．一桌子菜里头，只有这尾鱼还能吃。他喝了两口酒，吃了几筷子鱼，心想还不如睡上一觉，于是，就收拾干净桌子，回屋去了。
7．她吃得唇上腻着一层油，微微发光，一抹淡红的唇膏跑到唇界以外了。我留神听她的每一句话，不小心在自己的衣服上落了几处油渍，赶紧找抹布来抹。
8．一天他正在上课，一位跟他相熟的老师来到课室门口，一步跨进来，不说话，从黑板处取了一支粉笔，他向那男同事看了一眼，他那男同事话也不说，只把手一伸。
9．我做了一场梦，梦见世界上，一千万棵苹果树上的一亿颗苹果，瞬间一起掉落。没有一丝声音，没有惊吓到谁。
10．我被一只粉红的大象堵在地铁入口。最后一班列车，安静地驶去，空气中弥漫著一股奇怪的香。

二、 根据量词回答问题:

1．妈妈买了一把筷子，分给我们六个孩子，正好一人一双。
   问题：妈妈买了几根筷子？
2．今天，明星电影院将放映两场著名导演张艺谋导演的电影《英雄》，这部电影是继《卧虎藏龙》之后的又一部武打巨片。
   问题：今天在明星电影院能看到什么电影？
3．李老师最近忙极了，校长一下子给他安排了三项工作；另外晚上他还要到一家公司当翻译。
   问题：李老师有几份工作？
4．“大跃进”是1958年开始的一次错误的运动。
   问题：“大跃进”是体育运动吗？
5．你只要花100元就能买下一整棵龙眼，比在市场上一斤斤买实惠多了。
   问题：“实惠”的意思在这里可能是什么？
6．小小的办公室里进来了一大群人，一下子水泄不通 。
   问题：“水泄不通”可能形容什么？

三、句子中的加色词跟哪个选择项中的词的意思一样：

1．他那人嘴巴特别油，什么都敢说，他的话你可不能全都信！
   A.中国菜很好吃，就是有时油放得太多了。
   B.这种车子除了用油比较多以外，没什么缺点了。
   C.他本来是个老实人，可做生意做得太久了，人也变油了。
2．小花刚从农村出来，说话、穿衣服都土得很。
   A.春天的北京，常常刮沙尘暴，出门回来，一头一脸的土。

B.他把“我”说成“俺”，听起来真土。

C.这种土不适合种花，但适合种果树。

3．我表第刚从大学毕业，专业是机械工程，看来以后就要天天跟机器在一起了。

A.工厂最近从美国进口了一批先进机械设备。

B.你做事别那么机械，要根据情况改变方式方法。

C.每天，我们就机械地在宿舍、教室和食堂之间来来往往，毫无变化。

4．这种玫瑰花刺很多，不好摘。

A.那个歹徒拿着刀，冲上前去，一刀刺中了市长的心脏。

B.她的话每句都带着刺，真让人受不了。

C.他的手上扎了一根刺。

5．放到冰箱里的鸡肉被冻起来了。

A.大冷天，你这样光着脚，还不把自己冻坏了。

B.门被冻上了，开不了。

C.广东话里的“好冻”就是“很冷”的意思。

6．你看，树上还有一只杜鹃。

A.你看，树上还有一朵杜鹃。

B.你看，那就是我跟你说的杜鹃姑娘。

C.杜鹃的叫声在山谷回响。

7．我也是没办法才这么做的，请你千万别怪我！

A.他从来都是第一个到的，今天却迟到了，真怪！

B.大家都怪经理没把公司经营好。

C.这么好的东西，扔了怪可惜的。

8．我希望我们的孩子能生活在大自然里。

A.气候越来越糟糕，这是自然对人类的惩罚。

B.她说汉语说得特别流利，特别自然。

C.你对别人好，别人自然对你好。

四、以下的词同形，但不同词性和词义，请根据你知道的那个推测另一个的可能的意义。

1．光

A.他本来留着很多胡子，这一次，他把脸刮得很光。

B.他最喜欢光着脚走路。

2．包

A.他还有一大包东西放在我这里呢。

B.他的脸上长了一个大包。

3．盖

A.那个小伙子用牙一咬，就能把啤酒瓶盖咬掉。

B.中国传统的婚礼上，新娘要盖红盖头。

4．经济

A.我们正在考虑在中国办一个分公司，他是学经济的，可以帮助我们。

B.你看，你跑一次办了三件事，多经济。

5．保险

A.我买了一份退休保险，每年交1500元保险费；等我退休以后，保险公司每个月给我500元退休金。

B.怕钱丢了？那你把钱放到银行里，这是最保险的办法。

6．毒

A.这是一种很厉害的毒药，只要你吃一点点，马上就会被毒死。

B.白雪公主的后母想了了个毒计，她装扮成一个老太太送白雪公主一个苹果。

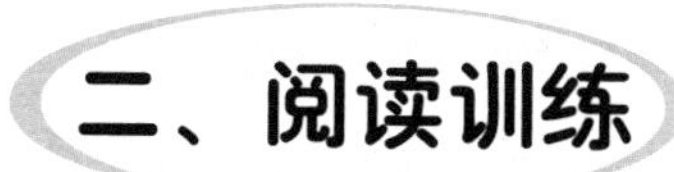

阅读一

一、 请仔细查看下面的表格，根据表格填空：

1．以北京时间计算，北京18：00时日本的时间是______________。
2．以北京时间计算，北京06：30时关岛的时间是______________。
3．以北京时间计算，北京08：00时英国的时间是______________。
4．以北京时间计算，法国12：00时北京的时间是______________。
5．以北京时间计算，韩国05：00时北京的时间是______________。
6．以北京时间计算，新加坡15：55时北京的时间是______________。
7．以北京时间计算，法国12：00时日本的时间是______________。
8．以北京时间计算，北京比墨西哥早了______________小时。
9．以北京时间计算，北京星期一20：00时意大利的时间是星期________的________点。
10．以北京时间计算，新西兰星期五19：00时北京的时间是星期________的________点。

各国时差(以北京时间为标准时间)

国家和地区	时　差	国家和地区	时　差
阿拉斯加	−18	卢森堡	−7
美属处女岛	−13	中国澳门特别行政区	0
安道尔	−7	葡属马得拉	−8
阿根廷	−11	马拉威	−6
澳大利亚	0～+2	马来西亚	−0.5
奥地利	−7	墨西哥	−15
葡属亚述尔加岛	−9	摩纳哥	−6
巴哈马群岛	−13	纳米比亚	−6

巴林岛	−5	荷属安地利斯	−12
比利时	−7	荷兰	−7
百慕大	−12	新西兰	+4
玻利维亚	−12	奈及利亚	−7
巴西	−11	挪威	−7
智利	−12	巴拿马	−13
哥斯达黎加	−14	巴拉圭	−12
加拿大	−13～−16	菲律宾	0
金丝鸟岛	−9	葡萄牙	−8
丹麦	−7	波多黎各	−12
多明尼加	−12	卡达	−5
埃及	−6	萨尔亚（美属）	−19
厄瓜多尔	−13	沙乌地阿拉	−5
法国	−7	新加坡	0
希腊	−6	南非共和国	−6
关岛	+2	西班牙	−7
夏威夷	−18	斯里兰卡	−2.5
中国香港特别行政区	0	圣路西亚	−12
冰岛	−8	圣文生	−12
印度	−2.5	央瓦济兰	−6
印尼	−1～+1	瑞典	−7
爱尔兰	−8	瑞士	−7
以色列	−6	塞席耳群岛	−4
意大利	−7	泰国	−1
象牙海岸	−8	千里达共和国	−12
牙买加	−13	东加	+5
日本	+1	阿拉伯联合酋长国	−4
约旦	−6	英国	−7
韩国	+1	美国	−13～−16
科威特	−4.5	委内瑞拉	−12
戴索托	−6	德国	−7
也门共和国	−5	中国台湾省	0

选自“首都之窗网”

阅读二

高三学生不愿长大

“你希望长大成人吗？”昨天，在广州市五中高三(5)班“成长·梦想·未来”的班会上，当老师向全班同学提出这个问题时，得到了一个意外的答案：有一小半的同学说自己不愿意长大。

这样的班会是“2002广州成人宣誓日”系列活动之一。记者从这些系列活动了解到，现在，一些已经到了18岁的青年学生还没有做好准备，不少人缺少成年人的意识，还没有学会用成年人的眼光和标准来看问题和做事情，仍然把自己当成一个儿童，希望永远生活在父母的身边，不愿意长大，不愿意承担责任。一些老师也对记者说，现在的高三学生虽然学习非常刻苦，也很聪明，但比起以前的学生来说，已经少了很多激情。

百分之三十的高三年级学生在一项不完全调查中选择了“不想长大”！高三学生小何的学校是广州最好的高中之一，他对记者说：“成年以后要承担的东西太多了，看到爸爸妈妈这么累，我就害怕长大。”和他同班的小钱则认为：“成年人的世界太复杂了……我想生活在一个童真的世界，这样就不用去想太多。”

（改写自《新快报》2002年10月17日）

一、根据课文内容选择正确答案：

1．广州的高三学生为什么不愿意长大？

A.因为不想承担责任　　B.因为成年人的世界太复杂

C.因为他们觉得自己还没有准备好　　D.以上都是

2．老师们认为现在的高三学生跟以前的相比，有什么不同？

A.比以前的聪明　　B.比以前的刻苦

C.比以前的少了激情　　D.以上都是

3．关于广州市的高三学生，以下哪种说法不对？

A.百分之三十的广州高三学生不想长大

B.十八岁的学生愿意承担责任

C.有些学生还像儿童一样看问题和做事情

D.有些学生认为成年人的生活和世界不太吸引人

4．“眼光”的意思跟哪个词差不多？

A.眼睛　　B.光　　C.观点（POINT OF VIEW）　　D.眼泪

二、内容讨论：

你们多少岁成年？有什么仪式吗？

生词

成人	chéngrén	（动）	成为大人
宣誓	xuānshì	（动）	to swear, to take an oath 说一些话，并将永远遵守它们
系列	xìliè	（名）	series
意识	yìshi	（名）	consciousness 感觉、想法
承担	chéngdān	（动）	to bear
激情	jīqíng	（名）	passion
童真	tóngzhēn	（名）	innocence 儿童的天真

阅读三

分手的话

当不同星座的男人发现自己不再喜欢身边的女人，就要勇敢地提出分手。不过，分手的话却各不相同。

白羊座（3.21～4.19）：你太慢了，跟不上我的进步。

金牛座（4.20～5.20）：我真的很爱你，这一生除了你，我再也不会想跟其他女人结婚。这样好了，如果你同意，我们就在二十年后的情人节结婚好吗？

巨蟹座（6.22～7.22）：你要相信我只爱你一人。可是，我爸爸不喜欢你，妈妈讨厌你，家里的狗想咬你……

狮子座（7.23～8.22）：太阳不希望在它旁边有一个黑洞。

天秤座（9.23～10.23）：鲁迅先生说："你是黑夜，而我是白天。白天只能跟太阳在一起。"请你静静地听我说："你是*南极*，而我是*北极*，我现在要去找一头美丽的*北极熊*跟她在一起。"

人马座（11.23～12.21）：今天我要说真话了。是的！我发现我是真的爱你！因为在我们在一起的这段时间里，我一共跟另外二十三位女子约会过。经过比较之后，我发现还是你最好……

魔羯座（12.22～1.19）：我要告诉你一个秘密。我吸毒，赌钱。对了，还有，我一个兄弟要我去杀一个人，可是我人太好了，只捅了他两刀……

（部分节选自乖乖风《分手的搞笑理由》，有删节）

一、填空：根据他们在分手时说的话，我们可以看出：

1．把自己比喻成"太阳"的是（　　　　　　）的人。
2．喜欢把责任推给别人的是（　　　　　　）的人。
3．比较像 PLAYBOY 的是（　　　　　　）的人。
4．有点像"坏人"的是（　　　　　　）的人。
5．（　　　　　　）的人一般做事很快。
6．（　　　　　　）的人总是对有名的人感兴趣。

二、词语讨论：

1．"分手"的意思是什么？

2．你可以表演一下什么是“捅了两刀”吗？
3．“刀”是什么词？“这段时间”的“段”呢？
4．你的星座在文章里有吗？如果有，是什么？

生词

星座	xīngzuò	（名）	zodiac
黑洞	hēidòng	（名）	black hole
北极熊	běijíxióng	（名）	polar bear 一种生活在北极地区的熊
吸毒	xīdú	（动）	to take drug 使用毒品，这是一种很坏的，对身体很不好的习惯
赌钱	dǔqián	（动）	to gamble

专名

情人节	Qíngrénjié	St .Valentine’s Day
鲁迅	Lǔxùn	中国作家
南极／北极	Nánjí/Běijí	South Pole/North Pole

看照片

摄于中山大学校园

（照片文字）**坚决禁止无牌或外地牌摩托车在校园行驶**

“禁止”

“禁止”是汉语标语中的常用语，表示坚决不能做某事，有时也写作“严禁”，程度比“不准”“请勿”强烈。如：

禁止吸烟

严禁自行车在快车道行驶

练习

请用“禁止”“严禁”各说一个标语，或抄一个有“禁止”“严禁”字样的标语交给老师。

第九课

一、技 能

语素猜词之一——联合式复合词

从这一课开始，我们介绍和训练语素猜词。什么是语素？语素是最小的语音和意义的结合体，也是最小的语法单位，如：天、地、人、我、看、高、才等。汉语的词最主要有两类：单纯词和复合词。单纯词是由一个语素构成的，大多数是单音节词，如：天、人、书、车、我、你、看、走、大、红、就、把等；单纯词也有双音节的，如：沙发、咖啡、玻璃等。单纯词只有一个语素，不认识就是不认识，没有办法通过另外的语素来猜词。但是，复合词就不一样了。什么是复合词？复合词是由两个或两个以上的语素构成的，大多数是双音节词。复合词根据它的语素之间的关系大概可以分为七种。

这一课，我们主要介绍和训练联合式复合词的猜词方法。联合式复合词是由两个意义相同、相反或相对的语素构成的，各语素不分主次，地位平等，而且两个语素的词性是一样的。主要有三种形式。

第一种，两个意义相同的语素构成的复合词，前后两个语素的意思差不多。比如“道”和“路”的意思一样，都是名词。“道路”的意思也就是“道”和“路”的意思；“明”和“亮”的意思一样，都是形容词。“明亮”的意思也就是“明”和“亮”的意思。这样的词，如果你知道一个语素的意思，就可以猜到另外一个语素的意思了。

第二种，两个意思相反或相对的语素构成的复合词，比如：买卖、大小、多少、江山、天地等，这样的词，如果你知道两个语素的意思，你可以想一想这两个语素加在一起是什么意思。如“买”和“卖”都是动词，但意思相反，那么又“买”又“卖”的意思是什么呢？“买卖”的意思就是“贸易”，就是“做生意”。

第三种，也是两个意思相反或相对的语素构成的复合词，但只留下其中一个语素的意思，另一个只是在那里，没有什么意思。比如：国家，只有“国”的意思，没有“家”的意思了。这类词对于我们猜词没什么帮助。

练习

一、分析下列联合式复合词的意思。

人民	道路	房屋	黑暗	图画
帮助	停止	生长	制造	偷窃
奇怪	伟大	广阔	勇猛	紧急
古今	远近	裁缝	开关	忘记

二、选择合适的词语组成联合式复合词。

（考、笔、口）试　　（少、美、妇）女
（江、黄、大）河　　（爱、夫、美）妻
东（边、门、西）　　长（短、度、形）
迎（来、去、接）　　贫（民、穷、嘴）
教（学、师、室）　　打（球、骂、手）

三、猜猜下列句子中加色词的意思。

1. 这个时期的文学作品和以前的有很大的不同。
2. 打开门，看见老师站在门口，爸爸惊讶得几秒钟说不出话来。
3. 你说的是特殊情况，不是一般情况。
4. 这个菜，我家老少都喜欢吃。
5. 夜晚的广场上没有了灯光，所以能看见星星。
6. 那种寂静让两个孩子感到惧怕。
7. 罗拉不停地奔跑着，希望能够找到机会救她的爱人。
8. 李刚和刘芳举行婚礼那天，来了很多亲友。
9. 大家都劝他别喝那么多酒，可是他始终改不了。
10. 校长仔细地询问了学生们的学习情况。
11. 星期天，她喜欢去公园玩，或者去商店购买东西。
12. 她挑选了很久，还是没有挑选到自己喜欢的衣服。

二、阅读训练

阅读一

老北京及其他

“老北京”是久居北京，熟悉北京的一切的人；“老上海”是久居上海，熟悉上海一切的人。

“老清华”“老北大”是多年前清华大学、北京大学毕业的人。

“老街坊”是做了多年邻居的人，“老朋友”是有多年友谊的人，“老搭档”是合作了多年的人。

“老江湖”是习惯出门、熟悉外面的各种情况的人；“老油条”是因为经验太丰富，而对工作、对生活不再认真的人。

“老积极”是年纪虽然老，可是对工作一直都很积极的人；“老时髦”是年纪虽然老可是喜欢赶时髦的人。

“老夫子”只懂得书本上的知识，不懂得看具体情况改变自己的想法和做法，“老古董”的思想陈旧，但他们都不一定年纪大。

（改写自吕叔湘《语文近著》）

一、根据课文内容连线。

老古董　　在上海生活了很多年、很了解上海情况的人
老北大　　思想陈旧的人
老上海　　做了很多年邻居的人
老街坊　　很多年以前从北京大学毕业的人
老搭档　　习惯出门、了解外面的各种情况的人
老江湖　　在一起合作了很多年的人

二、词汇讨论：

文章中加色词在什么方面是一样的？根据你的回答，解释“陈旧”的意思。

生 词

久居 jiǔjū　（动）住了很长时间
时髦 shímáo　（形）fashionable, stylish

阅读二

家是什么

在美国洛杉矶，有一个醉汉躺在街头，警察把他扶起来，一看是当地的一个富翁。当警察说“让我送你回家”时，富翁说：“家？我没有家。”警察指着远处的别墅说：“那是什么？”“那是我的房子。”富翁说。

在我们这个世界上，许多人都认为，家是一间房子或者一个庭院。然而，当你或你的家人一旦从那里搬走，一旦那里失去了家的温暖和亲情，你还认为那儿是家吗？对名人来说，那儿是故居；对一般的人来说只能说曾在那儿住过，那儿已不再是家了。

家是什么？1983 年，发生在卢旺达的一个真实故事，也许能给家做一个准确的解释。

卢旺达内战期间，有一个叫热拉尔的人，37 岁，他的一家有 40 口人，父母、兄弟、姐妹、妻儿差不多全部都死了。最后，绝望的热拉尔打听到 5 岁的小女儿还活着，他找了好几个地方，经过了很多危险，终于找到了自己的女儿后，他又高兴又伤心，将女儿紧紧地搂在怀里，第一句话就是：“我又有家了。”

在这个世界上，家是一个充满亲情的地方，它有时在别墅里，有时在破草房里，有时也在无家可归的人群中。没有亲情的人和被爱忘了的人，才是真正没有家的人。

（改写自《深圳商报》 吴光雀）

一、根据课文内容选择正确答案：

1. 醉汉是一个什么人？
   A. 穷人　　B. 有钱人　　C. 警察　　D. 卢旺达人

2. 醉汉没有什么？
   A. 钱　　B. 房子　　C. 别墅　　D. 家

3. 家是什么？
A.充满亲情的地方 B.别墅 C.破草房 D.没有房子的地方

4. 作者写热拉尔的故事，是为了说明
A.什么是内战 B.什么是穷人 C.什么是家 D.什么是爱

二、词语讨论：

1. 请你根据“1997香港回归中国”中的“回归”，来解释“无家可归”的意思。
2. “爱情”我们学过了，那么你认为“亲情”是什么意思？“友情”呢？

生词

醉汉 zuìhàn （名）喝醉了的人
别墅 biéshù （名）villa 一般在环境比较好的地方建的独立房屋，常常带花园
庭院 tíngyuàn （名）courtyard 带建筑的花园
一旦 yídàn （副）once 以后如果真的在某个时间发生这样的事情
内战 nèizhàn （名）civil war 在一个国家里，本国人和本国人之间的战争
怀 huái （名）胸前的部分
（亲情 qīnqíng、绝望 juéwàng、无家可归 wújiākěguī）

专名

卢旺达 Lúwàngdá 非洲的一个国家

阅读三

银河系中心有黑洞的证明

*欧洲*科学家2002年10月16日宣布，他们发现了证明*银河系*中心有巨大*黑洞*最好的证据。

这个科学研究小组的领导人、*德国*的*莱因哈德·根策尔*说：“这使黑洞研究前进了一大步！”在过去20年中，科学家们一直在观测银河系中心一些星星的活动情况，特别是一颗名为S2的星星。最后，他们得出结论：S2 附近确实有一个巨大的黑洞。

根策尔介绍说：“S2是一颗距离黑洞很近、并且我们能够仔细观测的星星。”根据对S2的观测，根策尔指出：“S2为什么能这样运行呢？只有一个原因，那就是它的周围有黑洞。再也不可能有其他原因了。”S2的*质量*是太阳的7倍，为了避免被黑洞“吃掉”，它必须运行得非常快——每小时1.8亿公里。它在自己的轨道上运行一圈，需要15年的时间。

根策尔的小组认为：这个黑洞位于银河系的中心，质量比100万个太阳加起来还要大。许多科学家认为，根策尔小组找到的银河系有黑洞的证据是最有力的。

（改写自“中国科技网”）

根据课文内容选择正确答案并回答问题：

1. 这篇文章介绍的是：
   A. 银河系的什么地方有黑洞
   B. 黑洞和太阳的关系
   C. S2运行情况是证明银河系中心有黑洞的最好证明
   D. 科学家最近发现了一颗名为S2的星星

2. 以下关于S2的说法哪一个不对？
   A. S2离黑洞很近
   B. S2 每分钟运行0.3亿公里
   C. S2的质量比太阳大6倍
   D. S2只有像现在这样运行才不会被黑洞"吃掉"

3. 关于黑洞，以下说法正确的是：
   A. 科学家20年中一直在观测银河系中心的一个黑洞
   B. 黑洞的质量是太阳的100万倍
   C. 科学家认为有证据证明银河系中心有黑洞
   D. 科学家研究银河系中心的黑洞20年了

4. "运行"中的"行"跟以下哪个词或词组中的"行"一样？
   A. 不行　　B. 银行　　C. 行走　　D. 第一行

5. "吞噬"，根据这两个汉字的组成部分"口"，你猜它可以代替文章第三段中的哪一个词？

生词

巨大	jùdà	(形)	非常大
观测	guāncè	(动)	to observe 观察监测
质量	zhìliàng	(名)	quality
避免	bìmiǎn	(动)	to avoid 使不发生
轨道	guǐdào	(名)	orbit 星星等运行的一定的、不变的路
证据	zhèngjù	(名)	evidence 用来做证明的根据

(运行 yùnxíng、吞噬 tūnshì)

专名

银河系　Yínhéxì　Galaxy

读后说(3)

从20世纪90年代中开始，日本和韩国的电影、电视、音乐等在中国流行起来，大家把这情况叫做“日韩流”，把特别喜欢日本韩国文化的年轻人叫做“哈日族”“哈韩族”。以下是几个中国人对这种“日韩流”的看法。四个同学一组，看完了互相介绍。

月嵘 （女，30岁，电台DJ，月收入3000～5000元）：

好的东西大家都会喜欢。我比较喜欢韩剧，喜欢韩国的明星。我在电台工作，所以会更多地注意什么音乐比较流行。而我的节目是早上的，所以我更多地选择轻松愉快、适合在早晨播放的音乐，许多韩国音乐都是这样的，所以我喜欢韩国音乐。

如果比较日本和韩国的电影、电视和音乐的话，日本的更流行，有时太新了，让人很难接受，而韩国的却和我们近一些，亲切一些。

林先生 （31岁，公司职员，月收入4000元）：

喜不喜欢日韩流？我说不清楚。日本还好，电器又好用，漂亮姑娘又多。我喜欢过*铃木保奈美*和*酒井法子*，那时候好像是1992、1993年吧，那时，她们演的电视剧都很流行，我觉得日本女孩比中国女孩可爱。工作后，没时间，就很少看日剧了。但是我很讨厌*木村拓哉*，一个男人像个女人一样。

江南 （19岁，大学生）：

我们这一代对日本没有那么多的历史记忆，不像年纪大的人，他们对日本的态度可能跟我们不一样。我们从小就用日本货、看日本电影电视或读翻译过来的日本书，这样我们就比较了解日本。我不是日韩迷，可能因为我平时对流行的东西都不是特别关心、也不特别喜欢。不过我的同学中有许多哈日哈韩族，对那些明星们的大小事情都熟悉得不得了，我觉得他们很可笑，很幼稚。

徐江 （男，33岁，作家，月收入800元）：

韩剧我也看过一些，感觉比日剧好，里面的人总是在说话，我知道这样写起来很难。小孩们好像很迷*安在旭*和*金喜善*。我最喜欢*崔真实*。

青年中懂日语和韩语的人不多，而日韩的东西却那么受欢迎，这是为什么呢？我认为是因为这两个国家的生活方式比我们发展得更自然、更舒服，所以很吸引他们。

不管是电影、电视，还是经济，还有足球，这两个国家都比我们好，我们中国人应该好好想想。

生词

日剧	Rìjù		日本电视剧
韩剧	Hánjù		韩国电视剧
明星	míngxīng	（名）	star
流行	liúxíng	（动）	很受大家欢迎

第十课

一、技 能

语素猜词之二——偏正式复合词

上一课我们介绍了联合式复合词的猜词，本课我们介绍和训练偏正式复合词的猜词。

什么是偏正式复合词？前边的语素修饰后边的语素，这样构成的复合词就是偏正式复合词。也就是说，偏正式复合词是一个词把主要意思的那个语素放在后边，把说明主要意思是什么样的那个语素放在前边。比如：衬衣、上衣、外衣、内衣、毛衣、棉衣、雨衣 / 菠菜、生菜、苋菜、白菜、香菜、油麦菜、西洋菜，后一个语素是主要的意思，前一个语素说明主要意思是什么样的。这些词，如果我们知道两个语素的意思，又了解词的结构特点，就有可能知道词的意思。比如，“外”是外边，“衣”是衣服，“外衣”就是穿在外边的衣服；即使我们不知道前一个语素的意思，也有可能猜出这些词大概表示哪一类东西，比如，“苋菜”是一种菜。

练习

一、用下面的语素组几个偏正式复合词。

1. ________笔 ________笔 ________笔　2. ________球 ________球 ________球
3. ________室 ________室 ________室　4. ________机 ________机 ________机
5. ________票 ________票 ________票　6. ________树 ________树 ________树
7. ________包 ________包 ________包　8. ________业 ________业 ________业
9. ________节 ________节 ________节　10. ________灯 ________灯 ________灯

二、找出同类的词。

1. 跟“京剧”同类的词是：　剧院　越剧　剧烈　川剧　剧组
2. 跟“汽车”同类的词是：　卡车　车门　火车　马车　车厢
3. 跟“铅笔”同类的词是：　笔记　钢笔　毛笔　笔套　笔试
4. 跟“啤酒”同类的词是：　米酒　白酒　酒店　酒鬼　红酒
5. 跟“西装”同类的词是：　时装　古装　装修　装订　套装

三、猜猜下列句子加色词的意思。

1. 用电脑要小心电脑病毒，注意不要让它破坏了你的文件。
2. 这个小山村是一个长寿之乡，100岁以上的老人有好几个。
3. 今年中国家用电器的出口额比去年增加了5%。

4．她的房间床单是白色的，窗帘是浅绿色的。
5．小刘做事非常粗心，常常出差错。
6．亲人朋友都劝他改掉抽烟喝酒的恶习。
7．玛丽租了一套两室一厅的房子，房租是每个月2000元。
8．节假日的时候，全国各地风景区的游人都特别多。
9．广深高速公路已经开通好几年了。
10．这个时装店专卖高档女式服装，很多白领丽人在这儿出入。
11．互联网的出现，使世界变得很小很小。
12．胡锦涛当选中国国家主席的时候，很多国家领导人都发来了贺电。
13．中国乒乓球队在2000年奥运会中获得金牌。
14．我希望有机会看看广东的粤剧。
15．参加朋友婚礼的时候，他喝了很多茅台酒。
16．李奶奶家的院子里种着两棵枣树。

二、阅读训练

阅读一

全世界十大“最赚钱的死人”

*英国*最近公布了今年全世界十大“最赚钱的死人”的排名榜。著名歌星“*猫王*”*普雷斯利*以一年赚5亿*英镑*排在第一位，女演员*玛丽莲·梦露*以一年赚2亿英镑排在第二位，漫画家*舒尔茨*排第三位，他的*史努比*在全世界非常流行。榜上有名的人都是曾经最有名的歌星、影星、作家、画家等。

“猫王”去世已经多年了，每年都有很多人访问他的故居，为死去的他带来每年5000万英镑的参观费收入。最近，一家著名的运动鞋公司以4000万英镑买下他的一首歌曲作为广告歌。他在世的时候创作的几首最受欢迎的歌曲，现在仍然不断地出录音带、CD，为他带来收入。

排第二位的梦露估计今年赚得2亿英镑。梦露40年前去世，可是她的吸引力一点也没有减少。化妆品、汽车、服装等，都用她作招牌，为她带来非常多的收入。

十大“最赚钱的死人”的排行榜为：普雷斯利、玛丽莲·梦露、舒尔茨、*约翰·列侬*（甲壳虫乐队成员）、*盖泽尔*（作家）、*亨德里克斯*（摇滚乐吉他手）、*鲍勃·马利*（歌星）、*安迪·沃霍尔*（电影制片人）、*法兰克·斯纳特拉*（歌星）。

（根据《广州日报》2002年8月文章改写）

一、填空：

1．全世界“最赚钱的死人”是____________________。
2．“猫王”每年有____________________的参观费收入。
3．梦露在“最赚钱的死人”排名榜上排____________________。
4．用梦露作招牌的有______________________________。

5. ________________在"最赚钱的死人"排名榜排第三位。
6. "最赚钱的死人"排名榜有__________位作家，名字叫________________。
7. 第二段"去世"的反义词是同一段的__________。

二、词语讨论：
1. "歌星、影星"是什么词？是什么意思？
2. 第三课阅读三里的"枪手"是开枪的人，那么"吉他手"是什么？

生词

赚（钱）	zhuàn	（动）	to make money 做生意得到钱
排名榜	páimíngbǎng	（名）	a list of names posted up 按前后顺序排起来的名单
漫画	mànhuà	（名）	cartoon
故居	gùjū	（名）	以前住过的房子
广告	guǎnggào	（名）	ad 想让很多人知道自己的宣传，常常在报纸、电视等地方发布
吸引力	xīyǐnlì	（名）	吸引人的能力
招牌	zhāopái	（名）	brand, sign
化妆品	huàzhuāngpǐn	（名）	cosmetic 抹在脸上、身上的使人看上去漂亮、特别的用品

阅读二

说汉语的尴尬

（一）

汉语的量词学起来比很多别的语言都要麻烦。有个外国人怕麻烦，他学习汉语时用了一个懒办法——不说量词，直接把数词放在名词前，有时也行得通。如："我在马路上看到两人"等等，虽然中国人听着很奇怪，但也还听得懂，他高兴极了，就更不喜欢用量词了。有一次，他手拿一把刀，想递给他的中国朋友，因为他怕对方听不清，就瞪着对方的眼睛，一字一顿地说："我给你一刀！"中国朋友听了，吓了一大跳，后来哈哈大笑，说："你给我一刀，我就给你一枪。"

（二）

一个老外夸某女士漂亮，女士红着脸说："哪里哪里。"老外不知道这是谦虚，以为是问他觉得哪里漂亮，就说："身材漂亮，身材漂亮。"女士又说："哪里哪里。"老外不明白女士为什么一定要问清楚漂亮在什么地方，只好老实地回答："三围好，三围好。"弄得大家都非常尴尬。

（根据《语言文字周刊》2002年12月唐尧文章改写）

根据课文内容回答问题：

1．这个外国人为什么不说量词，直接把数词放在名词前？
2．“我给你一刀！”是什么意思？
3．老外夸自己漂亮，女士为什么说“哪里哪里”？
4．老外明白女士说“哪里哪里”的意思吗？
5．产生尴尬的原因是什么？

生词

瞪	dèng	（动）	to open one's eyes wide	使劲儿睁大眼睛
枪	qiāng	（名）	gun	
尴尬	gāngà	（形）	embarrassed	处境困难，不好处理
身材	shēncái	（名）	human figure	身体的外形
三围	sānwéi			指人的胸围、腰围和臀围

（顿 dùn、逃跑 táopǎo）

阅读三

幼儿园来了博士“男阿姨”

2002年9月1日，湖南省长沙市诺贝尔幼儿园又来了4位具有硕士、博士学位的男幼师。到现在，这个幼儿园已经有了17个大学以上学历的“男阿姨”。孩子们跟着男幼师唱歌跳舞，这在过去全是女教师的幼儿园，不能不说是一道难得的风景。

陈斌毕业于上海某大学，原来有一个很好的工作，半年前，他辞职来到长沙当起了幼师。他说：“我从小就喜欢孩子，梦想当一个‘孩子王’，但一直没有机会，我觉得大男人当幼师没什么不好的。”

这个幼儿园让男性当幼儿教师，主要是考虑到“身教重于言教”。如果孩子们接触的都是女性，会使他们的性格女性化，这对孩子的成长是没有好处的。从这个幼儿园男幼师们一年多的工作来看，他们的工作是非常有效的。不知不觉中，孩子们身上有了一种“男子气概”。不久前，医生来给孩子们打防疫针，孩子们个个都非常勇敢地伸出了胳膊，居然没有一个哭的。

一位长期做幼教工作的老师说，男幼师教出来的孩子与完全是女幼师教出来的孩子相比，有两个特点：一是勇敢，有“男子气概”；二是创造性强。

（根据《长沙日报》2002年9月1日文章改写）

一、根据课文内容选择正确答案：

1．“幼师”的意思是：

A.幼儿园　　B.老师　　C.幼儿园老师　　D.年龄小的老师

2．“胳膊”的意思是：

A.身体的一部分　　B.植物的一部分　　C.一种动物　　D.一个动作

3. 过去，幼儿园教师一般是：
A.男性　B.女性　C.变性人　D.老人

4. 诺贝尔幼儿园有什么特点？
A.有男性教师　B.有女性教师　C.有变性人教师　D.有老教师

5. 第三段“身教重于言教”的意思是：
A.语言的教育比行动的教育更重要　B.行动的教育比语言的教育更重要
C.行动的教育和语言的教育都很重要　D.行动的教育和语言的教育都不重要

6. 下面哪个不是男幼师教出来的孩子的特点？
A.创造性强　B.勇敢　C.有“男子气概”　D.爱干净

二、词语讨论

我们已经知道了“硕士”的意思，那么，“学士”“博士”又是什么意思呢？它们是哪一类复合词？

生词

硕士　shuòshì　（名）Master Degree　某些国家大学学位的一级
学位　xuéwèi　（名）academic degree
学历　xuélì　（名）record of normal schooling　学习的经历，指曾在哪些学校毕业等
气概　qìgài　（名）manner, spirit　人在对待问题时表现出来的行为方式或精神状态
（博士 bóshì、辞职 cízhí、女性化 nǚxìnghuà、防疫 fángyì、创造性 chuàngzàoxìng）

阅读四

各式各样的外国饺子

一、用查读的方法判断对错：

1. 越南饺子里有鱼肉。
2. 印度饺子比俄国饺子小。
3. 有三个国家的人习惯在饺子馅里放洋葱。
4. 中国人先吃饺子，后喝汤。
5. 烤着吃的饺子是墨西哥饺子。
6. 意大利饺子只有煮的方法跟中国饺子一样。
7. 墨西哥的饺子皮是方的。
8. 朝鲜的饺子和越南的饺子味道和形状都不一样。

许多外国人与*中国人*一样，每到新年也吃饺子，但是，他们的做法与吃法都各有特色。

*朝鲜*饺子以牛肉为馅，并特别喜欢在牛肉馅里加上大量辣椒，包的饺子是半月形、站着的。

*越南*饺子以鱼肉为馅，在馅里加大量橙子皮、猪肉、鸡蛋，包的饺子却与朝鲜的饺子相反，一个个仰面朝天地躺着。

*俄国人*的饺子馅有牛肉、胡萝卜、鸡蛋、葱头、盐和味精，但他们还在饺子馅中加一些辣椒末，而且他们的饺子很大。他们煮饺子用的是牛骨煮成的清汤。他们跟中国人相反，先喝煮饺子汤，然后才吃饺子。

*印度*饺子用料、做法与*俄罗斯*饺子差不多，只是比俄罗斯饺子还大，但不是煮着吃，而是烤着吃。

*墨西哥*人用洋葱、牛肉、番茄、芹菜做馅，饺子皮不是擀的，而是用手压成长方形。包好的饺子不是用清水煮，而是放入用番茄、辣椒、洋葱煮成的汤里煮，吃完饺子再喝汤。

*意大利*饺子馅与中国的完全不同，主要是干酪、洋葱、蛋黄，有时也加一些菠菜、牛肉；另外还有一种主要是鸡肉和干酪。他们包饺子是把面压成一长条，一勺勺放好馅，在面的边上沾上水，再用同样的一条长面片合在一起，压好，然后用刀一个一个切开。煮饺子的方法则与中国人一样。

（改写自《生活时报》2003年3月14日 佚名）

二、词汇讨论：

1. “仰面朝天地躺着”是什么样的动作？
2. 指出文章里的食物的名称，看看你们是否知道它们是什么？

生 词

馅 xiàn （名）饺子或包子里面的肉、菜等

擀 gǎn （动）用工具（一般是木棍）把面压成圆的或者其他形状的薄皮

看照片

摄于湖北省宜昌市三峡

（照片文字）**三峡是我家，美化靠大家**

标语

这是汉语最常用的宣传环境保护的标语，要求大家爱护环境。如：

首都是我家，清洁靠大家

香港是我家，清洁靠大家

练习

请用这个格式说一个标语，或抄一个这种格式的标语交给老师。

第十一课

一、技能

语素猜词之三——述宾式复合词

本课我们介绍和训练述宾式复合词的猜词。

述宾式复合词前边的语素是动词性的，后边的语素是名词性的，前边的语素支配后边的语素，比如：出席、超额、动员、登陆、关心、留神、司令等。这类词，如果我们知道两个语素的意思，又了解词的结构特点，就有可能知道词的意思。比如，你知道“防”是预防的意思，“疫”是流行病，那么，你就可以知道“防疫”是预防流行病的意思。有时候，即使我们只知道其中一个语素的意思，也可以猜猜词的大概意思。比如，你知道“超”是“超过”的意思，即使不知道“额”的具体意思，也能猜出“超额”的意思大概是超过什么。

练习

一、找出述宾式复合词。

1. 思乡　考虑　放手　表演　收拾　畏难（　　　　　　　　　　　　　　　　　　　　）
2. 改变　提名　失恋　报告　闻名　担心（　　　　　　　　　　　　　　　　　　　　）
3. 释义　要求　邀请　讲价　演讲　生长（　　　　　　　　　　　　　　　　　　　　）
4. 叫好　扫盲　照顾　活动　伤心　听写（　　　　　　　　　　　　　　　　　　　　）
5. 忘记　忘我　害怕　同意　选择　放手（　　　　　　　　　　　　　　　　　　　　）

二、给述宾式复合词和相应的解释连线。

去火	承认错误
求知	消除身体的火气
认错	担任职务
任职	缺少好的品德
撒手	丧失了配偶
丧偶	探求知识
失业	放开手
缺德	失去工作

三、猜猜下列句子中加色词的意思。

1. 儿子身体不好，常常生病，妈妈非常**操心**。
2. 这几年他挣了不少钱，银行里已经有了几十万元的**存款**。

3. 阿里最近和安娜订婚了，但是没有说什么时候结婚。
4. 今天上班的时候路上堵车，害得我迟到了。
5. 陈晓梅是一个美丽动人的姑娘，追求她的小伙子非常多。
6. 过春节的时候，中国人常常说："恭喜发财"。
7. 林建平犯法了，被关进了监狱。
8. 你知道今年秋季中国出口商品交易会的开幕时间吗？
9. 玛丽写的文章在全国留学生作文比赛中获奖了。
10. 他父亲是经商的，家里很富有。
11. 最近总是下雨，很多蔬菜都涨价了。
12. 今年生意不好做，我们公司盈利也不多。
13. 周刚这学期学习退步了，他的父母很担心。
14. 这些碗和筷子都是消过毒的，你们放心使用吧。
15. 这件事让你费心了，我非常感谢你。
16. 绣球是这个地方男女青年传情的东西。

二、阅读训练

阅读一

房屋出租

一、在文章中迅速查找并填空：

1. 上海刘先生这个房子的面积是____________。
2. 要租上海刘先生这个房最短的时间是____________。
3. 你决定租上海刘先生这个房子，第一次你要给他的钱是________元，其中房租________元，押金________元 。
4. 这里北京最便宜的房子是________元，位置在__________________。
5. 这里北京最贵的房子是________元，位置在__________________。
6. 清河永泰西里的房子租金是________元。
7. 马连洼兰园小区租金是________元。
8. 王女士出租的房屋租金含________费用。

(1) 上 海

区县 杨浦区　**地段** 杨浦区—五角场　**地址** 政通路25弄
月租金 3500 元　**房型** 三室两厅　**面积** 148平方米
楼层 4层 共25层
设施 豪华装修、家具、水、电、煤气、电话、卫浴、全屋空调、有线电视、冰箱、洗衣机

交通 55路、139路，离轻轨明珠线200米　　**起租** 6个月　　**付款方式** 付三押一
谢绝中介。随时看房，随时入住
电话:021-653x3580 手机:13611x37840 刘先生

(2) 北 京

房源地址	价格	房源地址	价格
* 知春路翠宫饭店东面	800	* 上地环岛个人独立的单间	400
* 上地环岛往西100米	380	* 西四环四季青桥南500米	5000
* 人大东门当代商城后面	850	* 知春路希格玛大厦对面航勘	500
* 人民大学附近出租学生单间	800	* 清河永泰西里	700
* 翠宫饭店附近出租精装女生	1100	* 上地环岛创业大厦西	1200
* 上地兰园小区双人间	950	* 板井路世纪金源大酒店	22000
* 双榆树北路6号院	2200	* 马连洼兰园小区	950
* 中关村新科祥园小区	5500	* 北航校内	800
* 西四环四季青桥南800米	5000	* 海淀区西三旗东	800
* 清华东门北西站后八家	700	* 海淀区上地桥怡美家园	4000

(3) 北 京

楼房新装修三居，三间都出租，租金按面积大小分750元、850元、950元，配有全套家具家电，共用厨房和卫生间，可以洗澡做饭，有空调和电话，交通便利，门口有多路公交车直达中关村、上地环岛、人大、清华、西直门、公主坟等地，随时可以看房，有意请联系王女士，租金含物业和暖气费用。　　电话:885x3256 手机:13011x86506

(摘自“焦点网”)

二、根据课文判断正误。

1. (　) 我们知道上海刘先生出租房子的位置。
2. (　) 租上海刘先生的房子我们需要自己买家具。
3. (　) 北京中关村新科祥园小区的房子租金是2500元。
4. (　) 说适合女生租住的房子在翠宫饭店附近。
5. (　) 我们不知道王女士出租房子的具体面积
6. (　) 王女士出租房子的位置在中关村附近。

生 词

厅　tīng　(名) living room　房屋中用于日常活动、接待客人的房间

设施　shèshī　(名) installation, facilities　为了做某些事情或满足某些需要而建立起来的建筑、机构等

豪华　háohuá　(形) 漂亮的、高贵的

装修　zhuāngxiū　(名) 建筑中的装饰、水电设备，其他设施等

有线电视	yǒuxiàn diànshì		cable TV
轻轨	qīngguǐ	（名）	一种轻型的轨道交通工具，跟地铁类似，但要小一些
押	yā	（动）	to mortgage 抵押
谢绝	xièjué	（动）	客气地说不可以
中介	zhōngjiè	（名）	agent, intermediary 买卖双方的中间人
物业	wùyè	（名）	real estate, immovable property 指房屋等财产，也叫"不动产"

阅读二

深圳市统一公务员津贴

一、略读，然后回答问题：

1. 哪一段可以总结本文的内容？
2. 哪一段说明统一津贴的方法？
3. 哪一段说明以前公务员收入的差距情况？

从2002年7月起，深圳市将统一1.4万多名党政机关公务员的津贴标准。

长期以来，深圳不同党政机关的公务员的收入差距很大。一些部门的公务员收入非常高，另外一些部门的公务员收入又非常低，这是因为各个部门的津贴标准不同。以前，同样级别的公务员，因为部门不同，收入差距达到5倍。

今年，深圳决定用以下方法统一党政机关公务员收入：把公务员的收入分成工资和津贴两部分。津贴和工资一样，都根据工作位置的高低决定，全市各个部门统一标准。这样，同样级别的公务员不论在什么部门工作，收入都是一样的。最低级别的津贴为1520元／月，以后每高一个级别增加210元。统一津贴标准后，全市公务员平均津贴为1800元，公务员最低月收入为3000多元。

（改写自新华社2002年7月23日电）

二、查读，根据课文内容填空：

1. 深圳市将在______年______月统一公务员津贴标准。
2. 深圳市有1.4万名__________________。
3. 1800元是公务员的__________________。
4. 3000元是公务员的__________________。

三、通读，根据课文内容选择正确答案：

1. 以前在深圳，同样级别的公务员，收入却不一样，是因为：

   A.工资不一样　　B.年龄不一样

   C.部门不一样　　D.以上全部

2．现在在深圳，一个公务员的津贴是1730元／月，另一个是2360元／月，他们的级别差了：
A.4级　B.3级　C.2级　D.1级

3．以下说法哪一个不对：
A.现在的深圳，同样级别的公务员津贴一样
B.现在的深圳，不同级别的公务员津贴不一样
C.现在的深圳，不同部门的公务员津贴一样
D.现在的深圳，不同部门的公务员津贴标准一样

生词

统一	tǒngyī	（动）	to unify　不同的变成一样的
公务员	gōngwùyuán	（名）	government office worker, civil servant　在政府工作的人员
津贴	jīntiē	（名）	perquisite　工资以外的钱
党政机关	dǎngzhèng jīguān		party and government organization　政党和政府的办事机构
部门	bùmén	（名）	division, department　（机关、公司等的）各个部分
级别	jíbié	（名）	rank　这里指高低的等级
差距	chājù	（名）	difference　不一样的

阅读三

邮票里的笑话

填空：

1．这篇短文说了________个邮票错误的事。
2．1903年玛丽安娜像的邮票，是________国发行的。
3．意大利发行的纪念哥伦布的邮票，它的错误是________。
4．印度度发行的七马拉车的邮票，画面上的七匹马有________条腿。
5．1947年发行的富兰克林·罗斯福像的邮票，它的错误是________。

很多国家在邮票的设计、印刷过程中都出现过错误，这些错误的邮票发行出去以后，很快就成为珍贵的收藏品。

1903年，法国发行了一枚*玛丽安娜*像的邮票，画面上太阳刚升起，她面对太阳，影子应该在她身体的后方，可是玛丽安娜的影子却在前方。

1903年，*意大利*发行纪念哥伦布的邮票，画着哥伦布拿着望远镜遥望远方，可是那个时候还没发明望远镜呢。

1931年，*印度*发行一枚七马拉车的邮票，画面上的七匹马却只有四条腿。

1947年发行的*富兰克林·罗斯福*像的邮票，画面上的罗斯福有6个手指。

1973年，美国发行了一套4枚邮票，其中3张月亮的方向和位置与画面上东西的影子不一致。

（根据《天津日报》2002年8月文章改写）

生词

设计 shèjì （动）to design

印刷 yìnshuā （动）to print 用机器把文字或图画留在纸上

发行 fāxíng （动）to issue, to distribute 发出新的货币、书刊等

珍贵 zhēnguì （形）valuable 价值大；意义深刻

收藏 shōucáng （动）to collect, to store up 收集、保存

看照片

摄于江西省瑞金市郊区

（照片文字）**一切为了孩子　一切为了家长**

"为了"或"为"

"为了"或"为"是汉语标语的常用词语，表示目标或行动的原因。如：

为了您和他人的健康　请不要吸烟

为把我市建成全国优秀旅游城市而努力

练习

请用"为了"和"为"各说一个标语，或抄一个有"为了"和"为"各字样的标语交给老师。

第十二课

一、技能

语素猜词之四——述补式复合词

前边几课我们介绍和训练了联合式复合词、偏正式复合词、述宾式复合词的猜词，本课我们介绍和训练述补式复合词的猜词。

汉语有一类复合词是这样的：前边的语素是动词，表示一个动作，后边的语素补充说明前边的语素，表示动作的结果，这样构成的复合词就是述补式复合词，比如：说明、提高、建成、改善、推翻、加强、扩大、戳穿等。这些词，如果我们知道两个语素的意思，又了解它们的结构特点，就有可能知道词的意思，比如"改善"，改的结果是好了。有时候，即使我们不知道其中一个语素的意思，也可以猜一猜词的大概意思，比如"推翻"，你知道"推"的意思，不知道"翻"的意思，那么，你可以猜一猜"翻"大概是表示"推"的结果。

练习

一、找出述补式复合词。

1. 战胜　欢迎　扩大　翻译　参观　(　　　　　　　　　　　　)
2. 搅乱　告诉　揭露　考试　批评　(　　　　　　　　　　　　)
3. 看穿　反对　割断　游览　爱护　(　　　　　　　　　　　　)
4. 推倒　磨灭　学习　照相　后退　(　　　　　　　　　　　　)
5. 划清　打倒　表演　朗读　研究　(　　　　　　　　　　　　)

二、猜猜下列句子中加色词的意思。

1. 新车的速度很快，所以我们虽然迟出发，但没多久就赶上了先出发的车队。
2. 一个警察耐心地跟那个想要跳楼的人谈话，吸引他的注意力；另一个悄悄地从旁边靠近他。
3. 在老师的帮助下，他终于改进了自己的学习方法，提高了学习成绩。
4. 小丽走进那间服装店，一眼就看中了一条米色的裙子。
5. 火车提速以后，北京到广州的时间缩短了一些。
6. 抽烟喝酒太多损坏了他的身体，老王现在身体非常差。
7. 梁山伯和祝英台深深地相爱着，谁也不能把他们分开。
8. 小张最近放松了学习，成绩也一下子落了下来。
9. 新教学楼很快就要落成了。
10. 炮火摧毁了几座高楼。
11. 这场大火是由一个烟头引起的。

12．这个医院从欧洲引进了几台先进的医疗设备。
13．他俩决定把结婚日期推迟半年。
14．那个国家的政府被人民推翻了。
15．因为考生们的成绩都不太好，所以学校降低了录取要求。
16．快考试了，你应该抓紧时间复习，别再玩了。

二、阅读训练

阅读一

希伯伦又发生枪战　至少11名以色列士兵死亡

一些带枪的巴勒斯坦人15日晚上袭击了约旦河西岸希伯伦市犹太人定居点附近的一所犹太教堂，打死至少11名以色列士兵，打伤30多人。巴勒斯坦伊斯兰圣战组织中的一个小组织“圣城旅”宣布对这次袭击负责。

15日夜，卡尔亚特·阿拉巴犹太定居点的犹太人在教堂附近受到袭击。这些有枪的巴勒斯坦人与随后赶到的以色列士兵又发生枪战，造成严重死伤。

许多以色列坦克随后进入了希伯伦地区，向定居点附近的巴勒斯坦居民区开火，打伤几十名巴勒斯坦居民。袭击事件发生后，以色列的医务人员赶到教堂抢救伤者。冲突现在仍然在继续，死伤人数不断增加。

希伯伦居住着14万巴勒斯坦人和400多名犹太定居者，双方矛盾不断。

(改写自新华网 加沙11月15日电　周铁君)

一、填表:

人数	什么人	情况／怎么了
14万		居住在希伯伦
30多		
几十名		被以色列坦克打伤了
400多名		
11名	以色列士兵	

二、根据文章内容选择正确答案:

1．关于希伯伦市，不正确的是：
A.它在约旦河西岸　　B.有犹太人定居点
C.有很多巴勒斯坦人　　D.犹太人比较多

2．这次冲突：

A.一开始是犹太人袭击巴勒斯坦人　　B.后来以色列的士兵来了

C.巴勒斯坦人的坦克向犹太人居民区开火　　D.已经结束了

3．第一段“打死”“打伤”中，两个字是怎么组合的？

A.联合　　B.偏正　　C.述宾　　D.述补

三、你们知道以下有关“以巴冲突”的人名、地名、专有名词吗？请试着说一说。

圣城耶路撒冷　　加沙　　阿拉法特　　自杀式炸弹袭击　　枪手　　难民营

生词

袭击　xíjī　（动）to raid, to attack　突然地攻击

随后　suíhòu　（副）later, subsequently　后来，跟着，接着

坦克　tǎnkè　（名）tank

冲突　chōngtū　（名）conflict　双方因为有矛盾而有一些争吵或暴力行为

（士兵 shìbīng、枪战 qiāngzhàn、开火 kāihuǒ）

阅读二

一枚硬币

两个年轻人一起到处找工作，一个是高个子，一个是矮个子。一枚硬币躺在地上，高个子看也不看就走过去了，矮个子却激动地把它捡起来。

高个子很看不起矮个子的举动：一枚硬币也捡，真没出息。

矮个子望着远去的高个子心生感慨：让钱白白地从身边溜走，真没出息。

两个人同时走进一家公司。公司很小，工作很累，工资也低，高个子不屑一顾地走了，而矮个子却高兴地留了下来。

两年以后，两个人在街上相遇，矮个子已成了老板，而高个子还在找工作。高个子对此不可理解，说：“你这么没有出息的人怎么能这么快就发了呢？”矮个子说：“因为我没有像你那样高傲地从一枚硬币上迈过去。你连一枚硬币都不要，怎么会发大财呢？”

高个子并非不要钱，可是他的眼睛盯着的是大钱而不是小钱，所以他的钱总是在明天。这就是问题的答案。

（根据《商战》王日华文章改写）

一、根据课文内容回答问题：

1．刚开始的时候，高个子和矮个子在做什么？

2．看到地上躺着一枚硬币，高个子怎么样？矮个子怎么样？

3．两个人一起走进一家小公司，高个子怎么样？矮个子怎么样？

4．两年以后，这两个年轻人的情况怎么样？

5．高个子为什么发不了财？

二、词语讨论：

大家都知道“人民币”的意思，那么，“硬币”是什么意思？“纸币”是什么意思？“加币”“澳币”又是什么意思？它们是哪种类型的复合词？

生 词

出息	chūxi	（名）	promise, prospects　工作生活很成功
感慨	gǎnkǎi	（动）	sigh to with emotion　因感动而产生很多想法
白白	báibái	（副）	in vain　做了，但是没有用
溜	liū	（动）	to sneak away　偷偷地走了
发财	fācái	（动）	to make a fortune　获得大量的钱和东西
盯	dīng	（动）	to stare at　眼睛一动也不动地看着一个地方

（不屑一顾 búxièyígù、高傲 gāoào）

阅读三

孩子心中的爱

在中国，现在中年以下的夫妻，几乎都是一个孩子，这使长辈对孩子的爱，达到了历史上的最高峰。生活在父母长辈前所未有的爱中的孩子，是不是感受到这种爱呢？我问过不少孩子，孩子们的回答让我大吃一惊：“不，没觉得谁爱我们！”我说：“你看，爸爸妈妈工作那么忙，还要给你洗衣做饭，带你去玩，送你学钢琴学英语，他们多么爱你啊！”孩子们很冷淡：“那算什么啊！谁叫他们是父母呢？”

我又问一些孩子，什么时候感到别人是爱你的呢？孩子们的回答更让人意外：

“我爸下班回来，我给他倒了一杯水，因为我刚在幼儿园学了一首歌，说的是给爸爸倒水。我爸只说了一句，好儿子，就流泪了。从那时候开始，我知道他是爱我的。”一个小男孩说。

“我给奶奶耳朵上夹了一朵花，要是别人，她才不让呢，马上就要揪下来，可是因为是我夹的，她就一直戴着，见到人就说，看，我孙女打扮我呢。从这我知道她最爱我了。”一个女孩说。

我对这些事的细小和孩子们的逻辑感到奇怪。当孩子们被别人需要时，他们感觉到了自己幼小生命的价值。成人注视并强调这种价值，他们就感到了深深的爱。在给予爱的同时，孩子们懂得了别人的爱。

天下的父母，如果你爱你的孩子，就让他从小学会给予爱，学会爱你和周围的人。这不是你的自私，而是为了孩子。孩子渐渐长大，将长成一个爱自己爱别人爱世界的青年。

（根据《羊城晚报》2001年7月30日　丁和云文章改写）

根据课文内容选择正确答案：

1．第一段“前所未有”的意思是：

A.以前没有过　　B.以前有过　　C.以前和未来　　D.前边和后边

2. 第四段“揪”的意思是：
A.一种植物　B.一种动物　C.手的一个动作　D.脚的一个动作

3. 第六段“长大”的意思是：
A.很长很大　B.又长又大　C.长成大人　D.长得像大人一样

4. 现在的中国的父母长辈对孩子怎么样？
A.给予的爱最少　B.给予的爱最多　C.只爱男孩子　D.只爱女孩子

5. 孩子们为什么感觉不到父母长辈对自己的爱？
A.因为孩子们觉得父母长辈为自己做事是应该的
B.因为孩子们觉得父母长辈为自己做的事还不够多
C.因为孩子们觉得别人的父母比自己的父母好
D.因为孩子们觉得父母长辈让自己为他们做事

6. 作者为什么写下一个男孩和一个女孩说的话？
A.为了说明孩子们不爱自己的父母长辈
B.为了说明孩子们不爱别人的父母长辈
C.为了说明孩子们很爱自己的父母长辈
D.为了说明孩子们在给予爱的同时懂得了别人的爱

7. 这篇文章主要是写给什么人看的？
A.孩子　B.父母　C.亲戚　D. 老师

生词

长辈　zhǎngbèi　（名）elder member of a family　家庭中年龄老的人
冷淡　lěngdàn　（形）cold　不热情，不关心
逻辑　luójí　（名）logic
注视　zhùshì　（动）to gaze at　很注意地看
（高峰 gāofēng、给予 jǐyǔ）

阅读四

逐臭

传说从前有一个人，身上有一种特别的气味，非常难闻。因此，他的妻子、兄弟都跟他分居了，连亲戚朋友在路上遇到他也要远远地躲开。为此，他很苦恼。他觉得自己不应该给别人带来不愉快甚至痛苦，于是他一个人逃到海中的小岛上，打算孤孤单单地过一辈子。可是，有一天岛上来了一个人，这人闻到他身上的气味不但不讨厌，而且觉得非常舒服，认为比世界上什么香气都好闻。那

个有臭气的人走到哪里，他就跟到哪里，形影不离。后来，人们就用"逐臭"来比喻爱好奇怪，与一般人不一样，也用来比喻对低级下流的东西特别感兴趣。

（译自《吕氏春秋·遇合》）

一、根据课文内容选择正确答案：

1."分居"的意思是：

A.分别　B.分心　C.分开住　D.分离

2."形影不离"在这里的意思是：

A.总是在一起　B.不离开别人的身体

C.身体和影子不能离开　D.不离开身体和影子

3.亲人们为什么要跟这个人分居？

A.因为他很坏　B.因为他很丑　C.因为他很穷　D.因为他很臭

4.这个人为什么逃到小岛上？

A.因为他不喜欢家里人　B.因为那个小岛很舒服

C.因为那个小岛有香气　D.因为他不愿意给别人带来不愉快

5.有一天岛上来了一个人，那个人怎么样？

A.喜欢他长得好看　B.喜欢他穿的衣服

C.喜欢他的气味　D.喜欢他对别人好

6."逐臭"用来比喻什么？

A.喜欢的东西跟一般人不一样　B.喜欢低级下流的东西

C.喜欢的东西跟一般人一样　D.A和B

二、词语讨论：

1."低级"和"下流"都是偏正式合成词，你们认为它们是什么意思？他们的反义词可能是什么呢？

2.说说"逐臭"和"躲开"是什么复合词。

生词

逐　zhú　（动）to chase　追赶

气味　qìwèi　（名）smell　鼻子可以闻到的味儿

甚至　shènzhì　（副）even　提出更加突出的事例，表示更进一层的意思

孤单　gūdān　（形）alone　一个人没有依靠

比喻　bǐyù　（动）to be likened to　打比方

（分居 fēnjū、形影不离 xíngyǐngbùlí、低级 dījí、下流 xiàliú）

读后说(4)

这篇文章介绍了砍价方法——一共有八步，四个同学一个小组，每个同学读“两步”，然后按顺序说出来。

读前讨论：

什么是“砍价”？你会砍价吗？有什么好方法？

A

第一步：当你看好一个东西时，不要急着问价钱，先随便问一下其他东西的价格，好像随便看看似的，然后问你要的东西的价格。店主没有准备，所以一般会给出一个较低的价格（这是价格1）。

第二步：店主给了价钱以后，你要说：“这么贵？” 然后，马上就走。这时，店主会马上减一点价（这是价格2），这时，千万别回头，一直走。

B

第三步：过一会儿，你再回到店中。拿起那东西，问：“刚才你说多少钱？是××（这是价格3）吧？”你说的这个价钱一定要比刚才店主说的价格（价格2）要少一些，如果不太低，店主一定会说“是”。这样你又砍了一次价。

第四步：指出别的商店同样的东西更便宜。

C

第五步：把你能想到的这个东西的缺点说出来。式样、颜色、质量……一定要让人觉得这东西一点也不好。

第六步：这个时候，店主就会再让你还价。不要着急，先问：“实价是多少？”让店主给出他的最低价格（这是价格4）。然后告诉店主你愿意给的最高价格（这是价格5），应该是店主的最低价的一半或三分之一。店主当然不同意，这时你要转身再走。店主会在后面减价，你别回头，但要仔细听。

D

第七步：等听到店主给的价钱跟你愿意给的差不多时（这是价格6），你就应该再进商店去，跟他说几句客气的话，然后在自己刚才说的最低价格上加一点，再跟他还价。

第八步：如果店主还不肯，再用“走”这一招。店主的最后一次减价（这是价格7）一般都是很便宜的了，回去买了它吧。

生词

步 bù （名）step

实价 shíjià （名）lowest price 最老实的价格，最低的价格

（店主 diànzhǔ、价格 jiàgé、还价 huánjià、减价 jiǎnjià）

第十三课

一、技能

语素猜词之五——主谓式复合词

本课我们继续介绍和训练语素猜词——主谓式复合词的猜词。

主谓式复合词前边的语素是名词性的，后边的语素是动词性的或形容词性的，后边的语素陈述前边的语素，说明前边的东西怎么样，比如：年轻、地震、心疼、眼热、心虚、面临等。这类词，如果我们知道两个语素的意思，又了解词的结构特点，就有可能了解词的意思。比如“年轻”，你知道“年”有年龄的意思，“轻”有数量小的意思，那么，你就可以知道“年轻”是年龄不大的意思。有时候，即使我们只知道其中一个语素的意思，也可以猜猜词的大概意思。比如，你知道“地”是“地球”的意思，即使不知道“震”的具体意思，也能猜出“地震”的意思大概是地球怎么了。

练习

一、找出主谓式复合词。

1．冬至　霜降　天气　心寒　心脏　体重（　　　　　　　　　　　　　　）
2．眼花　眼睛　手快　手脚　心跳　运动（　　　　　　　　　　　　　　）
3．心酸　希望　嘴硬　掌握　批评　知道（　　　　　　　　　　　　　　）
4．头晕　晕车　政变　政府　耳闻　算术（　　　　　　　　　　　　　　）
5．日出　希望　肉麻　嘴巴　心软　针对（　　　　　　　　　　　　　　）

二、猜猜下列句子中加色词的大概意思。

1．看到别人赚了很多钱，他就眼红。
2．语言问题是不少留学生面临的一个大问题。
3．这位著名的演员小时候有严重的口吃。
4．那个人我看着眼熟，一定在哪儿见过。
5．这个电脑培训班面向社会招生，谁都可以报名参加。
6．眼看就要毕业了，你有什么打算？
7．中国位于亚洲东部。
8．很多人在电视里目睹了“9 · 11”恐怖事件。
9．这个胆怯的孩子看到不认识的人就害怕。
10．对这样的坏人我们不能手软。
11．恐怖问题全世界都觉得头疼。
12．背靠着千千万万的人民群众，我们的力量是用不完的。

13．我比你年长几岁，也算是你姐姐了。
14．他对女朋友说："我爱你！海枯石烂心不变。"
15．我得了重感冒，头重脚轻。
16．人们常说"心宽体胖"，王先生最近心情好，人就长胖了。

二、阅读训练

阅读一

咬人草

在新疆，有一次到山里访问哈萨克牧人，很偶然地认识了一种奇怪的植物。

那是在爬山的路上，前边的人突然大声叫起来："小心，咬人草！"

咬人草？草会咬人，我不太相信。这是长在路边的一种普普通通的植物，叶是暗绿色的，没有什么可怕的地方。

"可别轻视它，碰它一下，手要痛好几天的。"朋友认真地说，没有开玩笑的意思。

这更让我心动。我蹲在咬人草前边，仔细看了半天，除了发现叶子上有一些细小的刺以外，没有任何特别的地方。我拿出旅行剪刀，小心翼翼地剪下两片叶子，把它们夹在笔记本里。我要把它们带回上海去，让上海的朋友也看看这种奇怪的小草。

"算了吧，它会咬你的。"朋友笑着劝我。

"不怕。"我很自信地回答。

天长日久，我几乎忘记了这小草。一次，我打开笔记本准备写点儿东西，还来不及写一个字，只觉得手指一阵剧痛，就像被尖锐的牙齿咬了一口。我一下子把笔记本摔出老远，那咬人草的干叶从本子里掉了出来，掉到我的脚边——还是那样硬硬的，就像一双暗绿的眼睛，冷冷地嘲笑着我……

虽然被它咬了，但是我没有恨它，相反，还生出一种敬佩的心情来——这被人践踏的、可怜的小草，性格是这么坚强！它似乎要提醒我一些什么……

我没有再把草叶夹进笔记本，而是让它们在沙土中躺着，因为我知道，如果我带着它们，一定还会被咬的，我不可能改变它们的性格。

（根据《蒲公英读本》赵丽宏文章改写）

一、判断正误。

1．（　　）咬人草样子很可怕。
2．（　　）咬人草的叶瓣上长着一些很小的刺。
3．（　　）手碰到咬人草要痛很多天。
4．（　　）刚见到咬人草时作者想带两片叶瓣回上海。
5．（　　）作者一共被咬人草"咬"了两次。
6．（　　）作者被咬人草"咬"了，所以很恨咬人草。
7．（　　）作者觉得咬人草性格坚强。

8. (　　) 作者最后决定把那两片咬人草叶瓣留在沙土里。
9. (　　) 咬人草给作者留下很深的印象。

二、词汇讨论。

1. “轻视”的意思是什么？是哪一类复合词？它的反义词是什么？
2. “剧痛”是什么意思？是哪一类复合词？
3. “心动”“天长日久”是什么意思？是哪一类复合词？

生词

好奇	hàoqí	(形)	be curious 感到新奇，发生兴趣
刺	cì	(名)	thorn 尖的能使人感到疼痛的东西
自信	zìxìn	(形)	self-confident 自己相信自己
尖锐	jiānruì	(形)	sharp, keen 容易刺破其他东西
嘲笑	cháoxiào	(动)	to mock 看不起别人所以笑话别人
坚强	jiānqiáng	(形)	strong 性格强而有力，决定了就不动摇

(蹲 dūn、小心翼翼 xiǎoxīnyìyì、践踏 jiàntà、敬佩 jìngpèi、轻视 qīngshì、心动 xīndòng、天长日久 tiānchángrìjiǔ、剧痛 jùtòng)

阅读二

减轻压力的良方——眼泪

据俄罗斯家庭心理医生纳杰日达·舒尔曼说，可以证明，眼泪是减轻精神压力最有效的好办法。很可能就是因为这个道理，女人比男人少得因神经紧张而引起的疾病。

有不少心理学家认为，哭一哭是有好处的。不过只适合轻声地哭，不适合大哭，哭的时候应该同时想像着痛苦和委屈正在与眼泪一起流出。

顺便说一句，那些看令人悲伤的书或电影都会掉泪的人，在关键时刻比那些“有泪不轻弹的人”要坚强得多。

有人完全不会哭，这是一些不幸的人。心理学家把这种不会哭的现象看成是情感障碍，认为有必要去看大夫。医生会认为这些人可能得了精神分裂症或肿瘤。

此外，我们在哭的时候，会不断地吸一口口短气和长气，这大大有助于呼吸系统和血液循环系统的工作。这种“带哭的呼吸”已经被运用到一些对治疗气喘和支气管炎非常有效的呼吸运动当中。

(改写自“人民健康网”)

一、根据课文内容选择正确答案：

1. 男人比女人更容易得因精神紧张而引起的疾病，可能是因为：

   A. 男人不愿意掉眼泪　　B. 男人容易掉眼泪

   C. 男人不会哭　　D. 男人意志坚定

2．关于不会哭的人下面哪种说法不对：

A.不会哭的人应该去看病　　B.不会哭的人有情感障碍

C.男人都不会哭　　D.不会哭的人可能得肿瘤

3．文中第三段话的意思是：

A.容易掉眼泪的人不一定不坚强

B.容易掉眼泪的人没有不掉泪的人坚强

C.不容易掉眼泪的人在关键时刻更坚强

D.容易掉眼泪的人在关键时刻更坚强

4．下面哪种说法本文没有提到：

A.不会哭的人是不幸的　　B.哭的时候有助于呼吸系统的工作

C.小声哭泣对身体是有好处的　　D.放声大哭是一种运动

二、词汇讨论：

根据文中两个加色句子中的动词，判断句子中划线部分的词或词组是关于什么的？

生 词

心理　xīnlǐ　（名）mentality　人的思想、感情等内心的活动

委屈　wěiqū　（形、名）(feel) wronged; grievance　因为受到不应该有的对待，心里难过

不幸　búxìng　（形）unfortunate, sad　运气不好，不幸福，不快乐

障碍　zhàng'ài　（名）obstacle, drawback　使事情不能顺利发展的东西

治疗　zhìliáo　（动）to cure, to treat　用药、手术等方法消除疾病

（压力 yālì、悲伤 bēishāng、系统 xìtǒng、血液 xuèyè、循环 xúnhuán）

阅读三

为银杉办保险

被植物学家称为“植物熊猫”的银杉，是300万年以前留下来的非常稀少的植物。*湖南省城步县*保险公司最近为银杉办了火灾保险。

在城步县银杉保护区，生长着58棵银杉树，这么多银杉树在国内国外都是非常少见的。虽然这些“国宝”已列为国家一级树种，受到特别的保护。但是由于银杉喜欢阴暗，不喜欢太阳，总是生长在茂密的原始森林中，因此随时都有被火灾烧掉的危险，林业科研工作者对此非常担心。

为了这些“国宝”的安全，城步县保险公司在林业局的支持下，对这片银杉保护区进行了调查，做了很多预防火灾的工作，为银杉办了火灾保险。

（根据《暑假园地》文章改写）

一、根据课文内容选择正确答案：

1. “稀少”的意思是：
A.少　　B.多　　C.贵　　D.美

2. “国宝”的意思是：
A.国家　　B.珍宝　　C.国家的珍宝　　D.国家的东西

3. 为什么把银杉叫作“植物熊猫”？
A.因为银杉是像植物一样珍贵的熊猫　　B.因为银杉是像熊猫一样珍贵的植物
C.因为熊猫的样子特别像植物　　D.因为银杉的样子特别像熊猫

4. 银杉有什么危险？
A.被人类砍掉　　B.被虫子吃掉　　C.被火烧掉　　D.被水淹掉

5. 城步县保险公司为银杉做了什么事？
A.办了水灾保险　　B.办了火灾保险
C.办了旱灾保险　　D.办了虫灾保险

生词

保险	bǎoxiǎn	（名）	insurance
火灾	huǒzāi	（名）	fire as a disaster　因失火造成的灾害
列	liè	（动）	to enter in a list　安排到某类事物中去
原始	yuánshǐ	（形）	primitive　最古老的，还没有开发的

(稀少 xīshǎo、林业 línyè)

阅读四

年是什么

过年，也就是过春节，这是中国人一年中要过的一个最重要的节日。不同的人，心中的年就不一样，过年的想法也不一样。那么，年到底是什么？

儿童说：年就是能吃好东西、穿新衣服、得压岁钱而又不挨大人骂的日子，为什么不天天过年？

少年说：年就是不用做那些没完没了的作业的日子，当然，前提是过年前把寒假作业做完。

青年说：年就是正在逝去的美好青春，趁脸上还没有皱纹多照照镜子，多照张相。

中年人说：年是最劳累的日子，既要敬老，又要爱幼，谁叫我们肩负着一家之主的重任呢？

老年人说：年就是过了一天少了一年。多吃碗饺子吧。

农民说：年就是把一年的“福”放在一天享受，“我们老百姓，今天真高兴”！

工人说：年就是不用紧紧张张去上班，或者是加一天班挣三天的钱。

商人说：年就是那些傻瓜们花钱最大方的时候，不想办法多赚点儿钱才是傻瓜呢！

（根据釜阳文章改写）

一、根据课文内容选择正确答案：

1. 文章写了几种人对年的看法？

A.7种　B.8种　C.9种　D.10种

2. 下面哪个不是儿童喜欢过年的原因？

A.能得压岁钱　B.有好东西吃　C.有新衣服穿　D.能学到很多知识

3. 老人不喜欢过年的原因是什么？

A.变得更老了　B.要花很多钱　C.比平时辛苦　D.要照顾孩子

4. 商人喜欢过年的原因是什么？

A.有好东西吃　B.有新衣服穿　C.有好东西玩　D.容易赚钱

5. 最后一段"傻瓜们"是指谁？

A.过年花很多钱的人　B.过年去上班的人

C.过年很高兴的人　D.过年花钱不高兴的人

二、词汇理解。

仔细阅读中年人对"年"的看法，看看加色词是什么意思，然后用你的话翻译中年人的看法。

生词

压岁钱　yāsuìqián　（名）过年时长辈给孩子的钱

青春　qīngchūn　（名）youth　青年时期

前提　qiántí　（名）决定事情发生或发展的第一个条件

皱纹　zhòuwén　（名）wrinkles　皮肤或物体表面因收缩或揉弄而形成的凸凹不平的条纹

劳累　láolèi　（形）工作很多很累

（逝去 shìqù、肩负 jiānfù、重任 zhòngrèn、傻瓜 shǎguā）

看照片

摄于江西省瑞金市郊区

（照片文字）**计划生育是国计民生的大事**

"计划生育"

"计划生育"或许是中国大陆标语中用得最多的词语了，表现中国社会对计划生育的重视。如：

计划生育　人人有责

计划生育　利国利民

练习

1. 请用"计划生育"各说一个标语，或抄一个有"计划生育"字样的标语交给老师。
2. 看看其他牌子上写的是什么。

第十四课

一、技能

简称之一——代表语素法

汉语中的简称是指汉语词语的简化或紧缩形式。比如：北京大学简称为北大，家用电器简称为家电，“心灵美、语言美、行为美、环境美”简称四美。简称又叫缩略语，是现代汉语的构词手段，这种构词法是开放性的，几乎天天都在产生新词，因此掌握和识别汉语中的简称是一种重要的阅读技能。汉语的简称方式很丰富，首先我们学习“选用全称的代表语素”的简称法。

这种简称方式的特点是，选取全称中每个词语的一两个代表语素组成。具体选取哪个代表语素没有严格的限制，但最为常见的是选取每个词语的第一个语素作为代表语素。这类简称方式又可分为：专名的简称和非专名的简称两种。

1．专名的简称

(1) 选取两个代表语素的

A．紧缩。从各个词中选取有代表性的语素组合而成。这种形式在简称中较为普遍。比如：

北京图书馆→北图
上海外国语学院→上外
中山大学→中大
珠江电影制片厂→珠影
中国文学艺术工作者联合会→文联

B.减缩。只用其中的部分词语，这种形式使用较少。比如：

清华大学→清华
复旦大学→复旦
商务印书馆→商务

(2) 选取三个代表语素的

中国科学院 →中科院
外语教学与研究出版社→外研社
哈尔滨理工大学→哈工大
中央人民广播电台→中央台

(3) 序数不带量词的

这种简称的序数只能缩减“第”字，而数词必须保留。简化方式是按顺序选取数词及其后边的相关语素组成简称。比如：

北京第一外国语学院→（北京）一外

中国第二汽车制造厂→二汽
中国人民解放军第一军医大学→一军大（一军医大）
第二次世界大战→二战

（4）序数带量词的

中国共产党第十五次全国代表大会→十五大（党的十五大）
中国妇女第八次全国代表大会→八大（中国妇女八大）
中华人民共和国第九届全国人民代表大会→九届全国人大
全国文学艺术工作者第四次代表大会→四次文代会

2．非专名的简称

非专名的简称大都由两个词语缩减而成，其简称形式为双音节。比如：

家庭教育→家教，教学研究→教研 （选取每个词语的第一个语素，1+1）
彩色胶卷→彩卷，高等学校→高校（1+2）
对外贸易→外贸，历史地理→史地（2+1）
教师学生→师生，优良品种→良种（2+2）

有时简称的意思不是很清楚，如“人大”，可能是“人民大学”，也可能是“人民代表大会”，这时我们就要认真看一看上下文了。

练习

一、给下面的简称找出合适的原词语。

彩电	中国共产党县委员会
初中	和平谈判
社科院	招生办公室
盲流	初级中学
招办	秋季中国出口商品交易会
县委	彩色电视机
秋交会	中国社会科学院
和谈	盲目流动

二、写出下列词语的简称。

安全检查	奥林匹克运动会	北京工业大学
北京电影制片厂	边防检查	中华全国妇女联合会
高级工程师	中国银行	环境保护
军事学校	科学技术	科学技术委员会
流行性感冒	中央民族学院	北京语言大学
男子双打	全国运动会	加入世界贸易组织
上海图书馆	饮食疗法	国家经济体制改革委员会

二、阅读训练

阅读一

美丽的错误

晚上，一对老夫妻坐在饭桌前，桌上放着一盘红烧鲤鱼。

这对老夫妻无儿无女，老两口相依为命，在一起生活了50年。

同50年前一样，老夫把鱼头夹给老妻，老妻吃得津津有味。

同50年前一样，老妻把鱼尾夹给老夫，老夫也吃得津津有味。其实老夫喜欢吃鱼头，老妻喜欢吃鱼尾。可是，老夫却给老妻吃了50年的鱼头，老妻却给老夫吃了50年的鱼尾。

这是一个美丽的错误。

老夫老妻有一个共同的心愿：把自己最喜爱的东西让给对方。这就是一生真实的爱情。

（改写自《天津老年时报》）

一、选择文章中合适的加色词语填空：

1．我们只知道他会说英语，（　　　）她的汉语也说得也很好。

2．丈夫死了以后，她只好与孩子（　　　　　）。

3．孩子们都喜欢吃（　　　　）。

4．我们都觉得这儿的菜很难吃，可他却吃得（　　　　）。

二、“美丽的错误”是什么意思？

生词

夹　jiā　（动）to press form both sides, to pick up　从两边用力固定住一个东西

心愿　xīnyuàn　（名）wish　心里的希望

阅读二

微波炉可杀死炭疽孢子

11月5日，面对来自各地的众多媒体，*格兰仕*副总裁表示，自美国“9·11”事件发生后，全球经济面临困境，格兰仕外贸出口却一枝独秀，在第90届广交会和第21届香港国际电子展上，数码光波微波组合炉一下子拿到了200多万台的海外订单，其中包括美国商人订购的80多万台。俞副总裁说，这次格兰仕发起的不是一场价格大战，而是一场真正的技术大战。

自“9·11”事件发生后，美国的炭疽热已经使许多美国人不敢打开信件、包裹。为了消除人们心中的恐惧，美国著名的反生化恐怖主义专家阿利比克在10月16日一个会议上介绍说，使用微波炉或者蒸汽电熨斗就可以杀死炭疽孢子。阿利比克而且强调道，使用微波炉一定要有蒸汽，因为炭疽孢子可以

在干热的环境下生存。这些话使人们都抢着购买微波炉和蒸汽电熨斗。据说，现在在美国，许多人都将使人怀疑的信件、包裹等东西放进微波炉中消毒。这一方法能十分简易有效地预防炭疽孢子侵入人体。

去年问世的格兰仕光波炉能有效地杀死炭疽孢子，所以很受美国市场的欢迎。

（改写自《广州日报》）

一、根据课文内容选择正确答案：

1. 格兰仕微波炉一下子拿到200万台订单的原因是：

A.价格便宜　　B.高新技术

C.样式好看　　D.广告做得好

2. 下面哪种说法不对：

A.蒸汽电熨斗可以杀死炭疽孢子　　B.带蒸汽的微波炉可以杀死炭疽孢子

C.炭疽孢子不能在干热的环境下生存　　D.人们有办法预防炭疽孢子对人体的入侵

3. 根据上下文推测第一段加色句子的意思是：

A.格兰仕外贸出口也有困难　　B.格兰仕外贸出口发展很快

C.格兰仕的外贸出口没有困难　　D.格兰仕外贸出口成绩很好

4. 这篇文章主要写：

A.格兰仕新产品的销售情况　　B.微波炉可以杀死炭疽孢子

C.美国人为什么买那么多微波炉　　D.中国产品应该多发展新技术

二、写出下列简称的原词语：

外贸　　广交会　　光波炉　　反生化

三、词汇讨论。

我们知道什么是“订票”，那么第一段中的“订单”和“订购”是什么意思？

生词

微波炉	wēibōlú	（名）	micro-wave oven
困境	kùnjìng	（名）	difficult position, straits 困难的情况，困难的环境
炭疽热	Tànjūrè		anthrax 一种由细菌引起的传染病
炭疽孢子	tànjū bāozǐ		anthrax sporule 引起传染病的细菌
恐惧	kǒngjù	（名）	dread, fear 非常害怕
熨斗	yùndǒu	（名）	iron 衣服如果不平整，就要用熨斗来加热使它变平
怀疑	huáiyí	（动）	to doubt 不相信，觉得有问题
消毒	xiāodú	（动）	to disinfect, to sanitize 用一些方法去掉有害的东西
侵入	qīnrù	（动）	to invade, to intrude 外来的有害的东西进入里面

（媒体méitǐ、总裁zǒngcái、面临miànlín、蒸汽zhēngqì、购买gòumǎi、问世wènshì）

专名

格兰仕 Gélánshì　　中国最大最有名的生产微波炉的企业。在广东省。

阅读三

季节与皮肤保养

(1)春季皮肤保养。春天气候干燥，皮肤也干燥。因此，春天不要过多地洗澡。干性、中性皮肤的人，可选用含脂肪较多的护肤化妆品，如乳液、香脂、冷霜等；油性皮肤的人要注意清洁面部，可选用水质性护肤化妆品。

(2)夏季皮肤保养。夏季天气炎热，因此要增加洗澡的次数，并选用乳液、蜜类营养霜；户外活动时，要戴太阳帽、太阳镜、涂防晒霜，以减少日晒反应。

(3)秋季皮肤保养。秋季天气凉爽，皮肤处于干燥状态，这时应用温水洗脸，选用油脂营养护肤霜。

(4)冬季皮肤保养。冬季气候寒冷、皮肤干燥，因此，要注意保温，防止皮肤开裂、冻伤，洁面后可选用油脂护肤霜进行皮肤按摩。

(改写自“中华网”)

一、根据课文内容选择正确答案：

1．春天的时候，油性皮肤应该选用哪类化妆品？
　A.乳液　　B.冷霜　　C.水质性护肤品　　D.油脂护肤霜

2．下面那种护肤品夏天不宜使用？
　A.乳液　　B.防晒霜　　C.油性护肤品　　D.蜜类营养霜

3．秋季的皮肤的特点是：
　A.多汗　　B.干燥　　C.多油　　D.干裂

4．下面那种作法不适合于冬天的皮肤保养？
　A.选用油脂护肤霜进行皮肤按摩　　B.注意保温
　C.增加洗浴次数　　D.防止皮肤开裂、冻伤

二、从文中找出下列词语的反义词：

湿润←→　　寒冷←→　　干性←→

三、以下词是什么词组的简称：

护肤　　防晒　　保温

生词

皮肤 pífū （名）skin

保养 bǎoyǎng （动）to take good care of, to maintain 保护，使停留在正常状态

阅读四

请仔细查看下面的表格，根据表格填空：

1. 每天有______列火车从北京站开往上海。
2. 从北京站开往哈尔滨的火车最早到达哈尔滨的时间是：____________。
3. 从北京站开往大连的火车要走大约__________小时。
4. 京秦线是从北京到__________的铁路线。
5. 京杭线是从北京到__________的铁路线。
6. 你从苏州到北京，你希望到北京是吃晚饭的时间，你会选择__________次列车。
7. 每天最早到达北京站的列车是从__________开往北京的__________次列车。
8. 不是从北京站始发的列车有__________列。
9. 从北京始发，路上要走六天的列车是开往__________的__________次列车。
10. 从北京到天津，最慢的列车是________次，而最快的列车路上只需要大约____小时____分钟。
11. 合肥到北京的时间是__________，列车是__________次。
12. 在北京和太原间有一列火车，根据这张表推断，Y220次的方向是应该是从__________开往__________。

（北京站部分开出、到达）列车时刻表

一、京哈线

车次	开出时间	终到时间	附注	终到站 始发站	车次	到达时间	始发时间
11	8:25	18:58		沈阳北	12	19:32	8:55
K17	18:20	次日 8:10	经京秦线	哈尔滨东	K18	9:37	18:50
19	22:40	第六日 20:25	周五、六开	莫斯科	20	6:44	20:25
27	17:36	次日 8:05		丹东	28	9:23	18:35
39	22:40	次日 19:39	每周五次	齐齐哈尔	40	6:44	9:03
53	22:10	次日 7:30	经京秦线	沈阳北	54	7:15	21:44
K59	20:48	次日 8:19	经京秦线	长春	K60	6:18	18:47
K81	21:46	次日 9:44	经京秦线	大连	K82	8:42	20:44

Y211	8:35	10:25		天津	Y212	7:50	6:05
Y213	10:20	12:02		天津	Y214	9:43	8:00
Y215	15:45	17:28		天津	Y216	15:12	13:23
Y217	19:09	20:51		天津	Y218	18:23	16:34
Y223	12:54	18:54	石家庄始发	秦皇岛	Y224	14:12	8:07
437	11:10	次日 6:50		哈尔滨东	438	8:27	11:40
439	15:01	次日 17:54		佳木斯	440	11:34	9:20
465	18:06	次日 20:10		牡丹江	466	14:34	12:22
467	11:50	次日 9:45	经太郑、平齐线	齐齐哈尔	468	20:35	21:59
529	13:32	次日 7:15		大连	530	10:37	16:24
555	15:35	次日 20:20		图们	556	12:45	7:52
571	16:45	次日 11:08	经京秦线	吉林	572	14:04	19:25
589	21:50	次日 6:55		锦州	590	6:01	20:58
611	5:30	7:29	承德始发	天津	612	22:30	20:10
619	9:26	13:51		唐山	620	20:25	16:02

二、京沪线：

车次	开出时间	终到时间	附注	终到站始发站	车次	到达时间	始发时间
K13	19:50	次日 10:58		上海	K14	8:00	16:52
K21	17:01	次日 8:09		上海	K22	10:49	19:41
25	23:53	次日 10:47		青岛	26	19:57	9:03
31	8:45	次日 7:00	经京杭、皖赣线	杭州	32	21:14	21:20
K35	14:40	19:48		济南	K36	13:17	8:08
45	10:02	二日 21:41	经皖赣线	福州	46	22:06	10:15
63	20:18	次日 10:30		合肥	64	10:04	20:01
K65	18:50	次日 8:01		南京西	K66	9:00	19:54
409	11:30	次日 6:24		苏州	410	16:40	21:46
425	17:19	次日 12:17		南京西	426	14:58	19:55
461	23:10	次日 19:46		上海	462	18:40	21:18
539	15:55	次日 6:00		青岛	540	5:24	15:48

547	13:57	次日 6:50	烟台	548	11:57	20:58
565	20:00	次日 7:44	徐州	566	11:24	22:13
597	9:02	16:35	济南	598	7:19	23:45
601	17:50	20:12	天津	602	19:08	16:52

看照片

摄于广东省广州市小洲村

（照片文字）**全民动员，抗击非典，提高自防意识**

“动员”、“提高”

2003年春天，中国突然遭遇非典型肺炎，引起政府和人民的高度重视，这就是当时的宣传标语。

“动员”“提高”是汉语标语的常用语，例如：

全民动员，美化环境。

提高人民的健康水平。

练习

请用“动员、提高”各造一个句子。

第十五课

一、技能复习练习

看文章，然后根据你学过的词汇知识，完成下列练习

余秋雨《上海人》

一　近代以来，上海人一直是中国一个非常特殊的群落。上海的古迹没有多少好看的，到上海旅行，感受最深的便是上海人。他们有许多独特的习惯和规则，形成了一整套心理文化方式，说得响亮一点，可以称之为“上海文明”。一个外地人到上海，不管在公共汽车上，在商店里，还是在街道间，很快就会被辨认出来，主要不是由于外貌和语言，而是由于与这种上海文明不协调。

同样，几个上海人到外地去，往往也显得十分触目，即使他们并不一定讲上海话。

试着读一读下列的词语：

特殊　　群落　　响亮　　辨认　　触目

二　全国有点离不开上海人，又都讨厌着上海人。各地文化科研部门往往缺不了上海人。上海的轻工业产品用起来也不错，上海向国家上缴的钱也最多，可是交朋友却千万不要去交上海人。上海人不大方，宴会桌上喝不了几杯酒，与他们洽谈点什么却要多动脑筋，到他们家去住更是要命，既拥挤又处处讲究。这样的朋友如何交得？

上海人可以被骂的理由比上面所说的还要多得多。比如，有好几个扰乱全国政治的坏蛋就是从上海出来的，你上海还有什么话好说？不太关心政治的上海人便不再说话，偶尔只是嘀咕一声：“他们哪是上海人，都是外地来的！”

试着解释一下下列词语的意思：

科研　　部门　　上缴　　宴会　　洽谈
脑筋　　拥挤　　扰乱　　坏蛋　　嘀咕

三　上海人比较讲究科学，看不惯别人木讷的傻样子。搞科学研究，搞经营贸易，上海人胆子不大，但一般都会成功。全国各单位都会有一些麻烦事，一般请上海人来办比较称职。这在各地都不是秘密。

上海人不喜欢大请客，酒海肉山；不喜欢连续几天陪着一位外地朋友，以表示自己对友谊的忠诚；不喜欢听别人说太多，自己也不愿意说太多；上海没有文化沙龙，因为参加者一估算，赔上那么多时间不值得；上海人外出即使有条件也不乐意住豪华的宾馆，因为这对哪一方面都没有实际利益……，如果上海人的精明只停留在这些地方，那就不算讨厌。

说说下列的词语属于什么词性：

讲究　木讷　傻　称职　陪　沙龙　参加者　乐意　豪华　利益

四

但是，在这座城市，你也可以处处发现浪费聪明的现象。

不少人如果要到市内一个较远的地方去，会花费不少时间思考和打听哪一条线路、几次换车的车票最为节省，哪怕差三、五分钱也要认真对待。这种事有时发生在公共汽车上，车上的人会马上提供一条更节省的路线。有时，全体乘客都参加进这种讨论中，让人更觉得悲哀。公共宿舍里水电、煤气费的分配，也总是有很多争吵。可以把这一切都归因于贫困。但是，他们在争吵时嘴上叼着的一支外国名牌香烟，可能比争吵的费用要贵。

我发现，上海人的这种计较，一大半是由于为了保护和表现自己的聪明。这些可怜的上海人，聪明成了他们沉重的负担。没有让他们去当科学家，没有让他们去当工程师，没有让他们去做生意，他们怎么办呢？他们只能把聪明用在这些小事上。

指出下面的复合词哪些是偏正式（用P表示），哪些是联合式（用L表示），并试着解释一下词义：

城市　市内　花费　思考　线路　车票　节省　对待　公共　汽车
提供　悲哀　煤气　贫困　争吵　名牌　香烟　计较　沉重　小事

五

在上海，绝大多数家长都不能允许一个能继续读下去的子女停学，只有对实在读不好的子女，才用“读书无用”来自慰。即使在“文革”中，“文革”前最后一批大学毕业生始终是最受欢迎的求婚对象，哪怕他们当时工资很低，发展无望，或外貌平常。最讲实用的上海人在这一点上不讲实用，这是上海人与广州人的最大区别之一，尽管他们在其他不少方面比较接近。

每天清晨，上海人还在市场上讨价还价，还在拥挤的公共汽车上不断吵架。晚上，回到家，静静心，教育孩子把英文学好。孩子毕业了，没什么成就，上海人叹口气，抚摸一下斑白的头发。

请解释一下下面这几个述宾式复合词的词义：

停学　自慰　求婚　无望　还价

二、阅读训练

阅读一

欲望

一位乞丐每天都在想，如果我有两万元钱就好了，一部分钱可以先买点儿吃的，另一部分钱可以用来做小生意，那样我就不用乞讨了。

一天，这位乞丐正在公园的躺椅上打盹儿，突然，他感觉到有什么东西在舔他的脸，湿乎乎的，痒极了，睁眼一看，原来是只狗，很可爱的一只小狗，小狗正用一双水汪汪的大眼睛可怜巴巴地望着他。乞丐揉揉眼睛，发现周围没人，就把狗抱回他住的破房里，拴了起来。

原来，这只小狗是本市一位有名的大富翁丢失的，他领着小狗在公园散步时，小狗跑掉了。这位富翁非常着急，因为他非常喜欢这只从英国进口的漂亮小狗，于是，他在电视台登了一个寻狗启事，还登了小狗的彩照，答应给捡到狗的人2万元酬金。

第二天，乞丐在街上乞讨时经过一家电器商场，无意中看到这个启事，他急忙跑回他住的破房，抱起小狗，准备去领那两万元。可是当他再次经过那家电器商场时，发现启事上的酬金已经变成了3万元。

原来，寻狗启事登出一天了，大富翁见还没有人送回小狗，就打电话让电视台把酬金增加到3万元。乞丐简直不相信自己的眼睛，他又仔细地看了一遍启事，向前走的脚步突然停了下来，他把小狗抱回破房，重新拴了起来。

第三天，酬金果然又增加了，第四天，酬金又增加了……几天来，乞丐饿着肚子几乎没有离开过那家电器商场，两眼紧紧地盯着电视，直到第七天，当酬金增加到让全市市民都感到惊讶时，乞丐这才高高兴兴地跑回破房去抱狗，可是，那只可爱的小狗已经被饿死了，乞丐还是乞丐。

（改写自《做人与处世》 郭震海）

一、根据课文内容选择正确答案：

1. “彩照”是什么意思？
   A.照片　　B.彩色　　C.彩色照片　　D.黑白照片

2. 小狗是在哪儿丢的？
   A.电器商场　　B.公园　　C.破房　　D.富翁家

3. 丢了小狗以后，富翁做什么？
   A.每天看电视　　B.每天去公园找　　C.每天去破房找　　D.登寻狗启事

4. 送回小狗的人能得到什么？
   A.小狗的彩照　　B.一些电器　　C.一些吃的　　D.不少钱

5. 乞丐为什么不马上送回那只小狗？

A. 他很喜欢那只小狗　　B. 他想得到更多的酬金
C. 他想多看几天电视　　D. 他想把小狗养大一点

6. 乞丐为什么得不到酬金？
A. 小狗逃跑了　　B. 小狗被打死了
C. 小狗被饿死了　　D. 小狗被偷走了

7. 你认为这篇文章讲了什么？
A. 人都有欲望　　B. 人不应该有欲望
C. 欲望太多没有好处　　D. 人应该抓住机会

二、词汇讨论。

1. 通过偏旁和句子上下文的意思说说“睁”的意思。
2. 通过偏旁和句子上下文的意思说说“揉、拴、捡”的意思。
3. 中国人丢了东西，写启事，常常有这么一句话，“有捡到并送回者重酬”，这句话是什么意思？

生 词

欲望	yùwàng	（名）	desire, wish 希望得到某种东西或者达到某种目的
乞丐	qǐgài	（名）	begger 要饭、要东西、要钱的人
舔	tiǎn	（动）	to lick, to lap 用舌头接触东西或者取东西
登	dēng	（动）	to publish 在报刊、电视上发表出来
启事	qǐshì	（名）	notice 公开写出的要求别人注意、帮助的文字

（乞讨 qǐtǎo、打盹儿 dǎdǔnr、痒 yǎng、寻 xún、酬金 chóujīn、捡 jiǎn）

阅读二

2070年的世界人口

随着世界全球化的发展，人口问题是人们非常关心的一个问题。2001年8月1日，奥地利一个研究所发表了一个最新的研究报告，预测世界人口在以后几十年内将不断增长，大约在2070年将达到高峰——90亿。

这个报告说，未来增加的人口，大多数是在发展中国家。这对经济刚开始发展，还比较贫穷的发展中国家，将是一个很重的负担。如果人口问题处理不好，很可能影响这些国家经济的发展，影响人民生活水平的提高。

这个报告说，未来人口比例，将会出现一个非常严重的问题：人口老年化问题。报告预测，到了2070年，60岁以上老年人在世界总人口中所占的比例将从现在总人口的10%增加到22%左右。报告甚至认为，在未来一个世纪里，老年人将增加到世界总人口的34%左右。

报告还预测，2070年世界人口达到90亿高峰以后，将慢慢下降，到2100年，世界总人口将下降到84亿。

（根据《羊城晚报》2001年8月2日文章改写）

根据课文内容选择正确答案：

1. 这篇短文介绍：
   A.一个人口问题研究报告　B.一个经济问题研究报告
   C.一个老年人问题研究报告　D.一个发展中国家问题研究报告

2. 报告预测什么时候世界人口将达到最高峰？
   A.2100年　B.2070年　C.2010年　D.2001年

3. 人口最高峰时世界人口将达到：
   A.60亿　B.84亿　C.2070亿　D.90亿

4. 第三段主要是关于：
   A.人口增长问题　B.人口老年化问题　C.发展中国家问题　D.人口年轻化问题

5. 世界人口达到最高峰以后，
   A.人口将继续增长　B.人口将慢慢下降　C.人口将保持不变　D.老年人将比年轻人多

生词

预测（动）yùcè　（动）to forecast　事先推测、估计
高峰（名）gāofēng　（名）peak　比喻事物发展的最高点
比例（名）bǐlì　（名）proportion　同类事物在数量上构成某种比较关系
下降（动）xiàjiàng　（动）to descend, to decline　由高到低或由多变少
（负担 fùdān、处理 chǔlǐ、甚至 shènzhì）

阅读三

评画

几年前，在巴黎的一家咖啡馆，一位在法国专门学习东方情调油画的中国画家经过别人介绍与当时法国最著名的一位美术评论家见面了。两个人坐下来以后，画家就迫不及待地要打开带来的画卷请评论家评论。谁都知道，得到这位评论家赞扬的作品立刻就能身价百倍，即使得不到他的赞扬，也能从他的批评中学到很多东西。

没想到，评论家按住他的手说："别着急，我先问你两个问题。第一，你多少岁出国？第二，你在巴黎呆了几年？"画家得意地说："我19岁出国，在巴黎呆了9年了。"

"哦，如果是这样，画儿就没有必要打开了，我根本就用不着看。"评论家微笑着，但是口气非常坚决。"这是因为，你19岁就出来了，那时你还年轻，不懂什么是中国。在巴黎9年，时间还太

短，你也不知道什么是西方。你不了解自己，也不了解别人，想想看，你的画儿还有什么值得我评论的？哪儿还需要打开呢？”

（根据《读者》中张晓风文章改写）

一、判断正误：

1. (　　)这位画家在中国学习东方情调油画。
2. (　　)法国评论家不愿意跟这位画家见面。
3. (　　)这位画家很想让法国评论家评论他的画儿。
4. (　　)得到这位著名的法国评论家赞扬的作品可以卖很多钱。
5. (　　)这位画家觉得自己在法国呆了很长时间。
6. (　　)法国评论家觉得这位画家只了解西方，不了解中国。
7. (　　)法国评论家觉得没有必要打开这位画家的画儿。
8. (　　)最后法国评论家还是看了这位画家的画儿。

二、词汇讨论：

请说说“迫不及待”和“身价百倍”的意思。

生词

油画　yóuhuà　（名）oil painting　西洋画的一种，用含有油的颜料在布上或木板上画成

评论　pínglùn　（动）to comment on　比较、分析、议论

赞扬　zànyáng　（动）to praise　称赞并表扬

得意　déyì　（形）be proud of oneself　对自己很满意，骄傲

值得　zhídé　（动）to be worth, to deserve　有价值；做某事有好的结果

（情调 qíngdiào、迫不及待 pòbùjídài、身价百倍 shēnjiàbǎibèi）

第15课

读后说(5)

以下是两个中国人学外语的笑话，两个同学一组，分别看一个，然后讲给另一个同学听。

八毛四与四毛八

20世纪60年代，一位中国军官在莫桑比克帮助他们训练军人。中国军官不会讲葡萄牙语，讲课靠翻译。

一天，翻译有事离开了一会。翻译走后不久，教官想让学员休息一会儿。翻译常常喊“解散”，军官记得那发音跟中文的“四毛八”差不多。于是，他对学员大喊：“四毛八！”，大家都不动，他又大声喊：“四——毛——八——”可是，不管他怎么喊，学员们就是不动。

翻译回来了，教官说：“我想让他们解散，可不管我怎么说，他们就是不走，还是你跟他们说吧。”翻译大喊一声：“BA——MO——SI！”教官明白了：“哎，原来是八毛四呀，我还以为是四毛八呢！”

生词

军官 jūnguān （名）military officer 军队里的官员
军人 jūnrén （名）soldier, army man 当兵的，服兵役的人
解散 jiěsàn （动）to dismiss 大家分开自己去休息

专名

莫桑比克 Mòsāngbǐkè Mozambique 非洲的一个国家
葡萄牙 Pútáoyá Portugal 欧洲的一个国家

五个“兔毛肉”

20世纪70年代，在非洲的一个国家，一个鸡蛋商店负责给中国大使馆送鸡蛋。

一次，使馆要举行一次宴会，需要不少鸡蛋。那时当地人都没有电话，只能在见面的时候告诉送蛋人。那天，送蛋的来了，可是，使馆懂英语的人都不在。使馆的厨师想告诉送蛋的5天后送鸡蛋，可他不知道“5天后”怎么说。

他很着急，突然想起有个同事在看他杀兔子时教过他一个英语单词——明天（tomorrow）——兔毛肉。于是，他指指送蛋人的篮子，再指指放在一旁的鸡蛋，然后对送蛋人说：兔毛肉、兔毛肉、兔毛肉、兔毛肉，最后，他又很大声地说了一个：兔——毛——肉——。送蛋的好象明白了，对他点点头。

5天后，送蛋的真的来了。同事们都夸厨师聪明，以后都叫他“兔毛肉”。

内容讨论：

1．这两个中国人都用什么方法学外语？

2．你有什么学中文的笑话吗？

生词

兔子 tùzi （名） rabbit

毛 máo （名） hair of animal

专名

非洲 Fēizhōu Africa

补充阅读

补充阅读 1

快餐店广告

练习

一、在文章中迅速查找答案：

1. “西红柿炒蛋”哪一天有？＿＿＿＿＿＿＿＿。
2. “木耳粉丝” 哪一天有？＿＿＿＿＿＿＿＿。
3. “肉片扁豆” 哪一天有？＿＿＿＿＿＿＿＿。
4. “麻婆豆腐” 哪一天有？＿＿＿＿＿＿＿＿。
5. “干烧带鱼” 哪一天有？＿＿＿＿＿＿＿＿。

二、判断正误

1. （　）每一个菜是八块钱。
2. （　）每个套餐都免费送汤。
3. （　）18：30 可以打电话订餐。
4. （　）可以让快餐店给朝阳区送 6 个套餐。

影星快餐

套餐：8 元（两菜一汤）

服务范围：朝阳区、东城区、西城区、宣武区、崇文区

起送份数：10 份起送

送餐时间：10:30～12:00 17:30:00～19:00(请提前 2 小时订餐)

本周食谱	
周一	红烧排骨、滑熘鸡片、炝炒元白菜、醋溜土豆丝
周二	干烧带鱼、肉片扁豆、香菇菜心、家乡豆腐
周三	香菇鸡块、回锅腊肉、腐竹苦瓜、咸鱼茄子
周四	红烧牛肉、鱼香肉丝、香干油菜、海米冬瓜
周五	四喜丸子、辣子鸡丁、西红柿炒蛋、豆芽肉丝
周六	梅菜扣肉、猪肚黄瓜、木耳粉丝、土豆烧牛肉
周日	三鲜冬笋、萝卜焖牛肉、麻婆豆腐、青椒炒鱿鱼
本周例汤	排骨萝卜汤

公司地址：安定门外 28 号　　　送餐电话：54186355，54186356

补充阅读 2

幽默故事

(1)

老师在课堂上说："一个父亲带孩子去看马戏表演，有个节目是一个人把头放在狮子的口里，父亲看了就摇头说'这碗饭真不容易吃。'我知道这几个字你们都认识，但是你们懂不懂这句话是什么意思？"学生们异口同声说："我们知道，意思是：狮子在想：人头太硬，恐怕不容易吃。"

(2)

上语文课时，老师提问："张小明，请你用文明礼貌的'礼'字造个句子。"张小明想了一会儿说："爸爸提着包出门请别人帮忙。"

老师说："没'礼'字呀？"

张小明认真他说："怎么没有'礼'呀？礼在爸爸的提包里装着哩。"

(3)

有一次，老师在讲课时，为了使学生能充分理解爱的含义，就举一个例子说："如果一只驴子背着很重的东西上山，而主人还拼命地鞭打它，我马上去阻止这个主人。比德，你说这体现了我的一种什么样的美德？"

比德飞快地说："这体现了一种兄弟般的爱。"

(4)

老师为了向学生证明喝酒不好，她把一条菜虫放进一杯酒里，虫立刻死掉了。"大家知道这证明了什么？"她问学生。

卡尔马上举手说："老师，我知道了，这证明如果人喝了酒，肚子里就不会有蛔虫啦。"

(改写自《江南时报》2002 年 8 月 21 日)

练习

一、根据课文内容选择正确答案：

1. 第一个故事父亲说"这碗饭真不容易吃"的意思是：

A.人头太硬，狮子不容易吃　　B.狮子不喜欢吃人的头，喜欢吃肉

C.这个工作不容易做　　D.太危险了，小心狮子把头吃了

2. 第二个故事张小明为什么说："礼在爸爸的提包里装着哩"？

A. 张小明想到的"礼"是"礼物"　　B. 张小明不会造句，所以他想骗老师

C. 张小明很礼貌，他想给老师一个提包　　D. 张小明不想让别的学生知道他不会造句

3. 第三个故事为什么好笑？

A. 比德不知道驴子是什么东西

B. 比德的回答把老师说成驴子了
C. 老师不应该举关于驴子的例子
D. 主人鞭打驴子没有什么问题

4. 第四个故事为什么好笑?
A. 虫放在酒里死掉不能证明酒的危害性
B. 人和虫是不一样的
C. 蛔虫和菜虫是不一样的
D. 卡尔的回答跟老师想证明的相反

生 词

1. 驴子 lǘzi （名）donkey 一种跟马很像，但是小一点的动物
2. 鞭打 biāndǎ （动）to whip 用鞭子打
3. 阻止 zǔzhǐ （动）to stop 让一件事情停止
4. 体现 tǐxiàn （动）to incarnate 表现
5. 美德 měidé （名）moral excellence 美好的品德
6. 证明 zhèngmíng （动）to prove, to certify 用事实说明

补充阅读 3

两款香水

美国时装设计师Marc Jacobs 在为Louis Vuitton工作的同时，也将自己的两个品牌Marc Jacobs 、Marc By Marc Jacobs经营得很成功。

Marc Jacobs的设计典雅、高贵、性感。他的产品受到无数美国人的欢迎，而且，受欢迎的程度已超过了国界。Marc By 、Marc Jacobs受到时下年轻女性的热爱，日本女大学生更是喜欢这个品牌。"女人像风一样进了房间，当她离开的时候，你会想，她是来过，还是根本没来过?"——这正是Marc Jacobs 香水想要表达的感觉。这款香水，闻起来仿佛像刚摘下的栀子花，里面又有麝香玫瑰的味道，既优雅又有活力。

在欧美市场，Davidoff Cool Water 已成为男士香水的主流产品，长期受到男性使用者的喜爱。它的味道是把清新的感觉与花的芬芳完美地组合在一起，就像使用它的男士，敏感、性感而且有绅士风度。

（摘自"新华网"）

练习

一、根据文章填空。

1. 文章中描写Marc Jacobs的设计和他设计的香水的词语有____________________。
2. 文章中描写Davidoff Cool Water 的词语有______________________________。

二、判断正误。

1. (　　) Marc Jacobs 、Marc By Marc Jacobs 两个品牌是 Louis Vuitton 的。
2. (　　) Marc Jacobs 是女士香水的名字，也是人的名字。
3. (　　) Davidoff Cool Water 是男人用的香水。

生 词

设计师	shèjìshī	（名）	designer 设计的人
典雅	diǎnyǎ	（形）	elegent 高贵、有品位
性感	xìnggǎn	（形）	sexy
优雅	yōuyǎ	（形）	grace 优美，有品位
活力	huólì	（名）	vitality 活泼，健康
主流	zhǔliú	（名）	mainstream 占大部分的（时尚、政治观点等）
敏感	mǐngǎn	（形）	sensitive 很容易引起反应的
绅士	shēnshì	（名）	gentleman 高贵，有品位的男人
风度	fēngdù	（名）	manner 一个人表现出来的品位，风格等

补充阅读 4

早饭吃不好易发胖

日本营养专家发现，有些人肥胖并不是只是营养太多，而是因为饮食中缺乏能使脂肪转变为能量的营养素。早饭是人们在午前进行活动、提高效率的重要能源。如果没有吃好早饭，身体得到的营养不够充分，就会使人无精打采，注意力难以集中。时间长了，你的身材就会发胖。

通常男性一天约需 1800～2000 卡，女性约 1600～1800 卡，平均下来，一餐约占三分之一的热量。早餐是高热量的，在吃完之后，燃烧脂肪的速度就会降低，再配合低热量的午、晚餐，脂肪就不容易留在身体里。而早餐不吃或吃得太简单的人，根本无法提供足够的热量和营养，精神也会比较差；等到午、晚餐的时间，脂肪消耗的能力变差，而又吃进高热量的食物，结果是吃进的热量比消耗的热量多，人当然容易变胖。

（摘自"中华美食网"）

练习

判断正误：

1. (　　) 肥胖就是因为营养太多了。
2. (　　) 早饭少吃一点儿就不会发胖。
3. (　　) 男人身体消耗的热量比女人高。
4. (　　) 早餐吃高热量的东西比较好。
5. (　　) 午、晚餐吃高热量的东西比较好。

生词

营养	yíngyǎng	（名）	nurture 身体需要的物质
缺乏	quēfá	（动）	to lack 不够
脂肪	zhīfáng	（名）	fat 油性的物质
能量	néngliàng	（名）	energy
集中	jízhōng	（动）	to focus, to concentrate 在一起，不分开
热量	rèliàng	（名）	heat quantity 发热的力量
消耗	xiāohào	（动）	to use up 用了

补充阅读 5

乡村歌后为美军歌唱

美伊战争一触即发，美国国内也有不同的声音，演艺圈中，马丁·西恩、汤姆·汉克斯等上百艺人先后表示反对这场无意义的战争。而美国乡村歌后、格莱美奖得主菲斯·希尔日前就决定将于本周在FortBragg举行一场为军人送行的免费演唱会，她的服务对象是美军第82空降师。

该师是美军历史上最早的空降师，成立于1917年8月25日，1990年海湾战争期间，该师就出现在战场上。今年2月1日，该师从北卡罗莱纳州的驻地出发去执行一项秘密任务，人们普遍认为这个任务跟打击伊拉克有关系。

据悉，希尔演唱会的现场将有8000余人参加，除军人外，也有不少歌迷。希尔的歌曲曾10次打到排行榜首位。其中《吻》、电影《珍珠港》的主题曲《呼吸》等都曾非常流行。像这种由美女艳星为前线士兵演出鼓劲的事在美国是有先例的，当年梦露就曾在朝鲜战争中干过这种事。

（《北京青年报》2003年2月13日）

练习

根据课文内容填空：

1. 马丁·西恩、汤姆·汉克斯等上百艺人先后纷纷表示________________。
2. ________________的现场将有8000余人参加。
3. 希尔唱的流行歌曲有________________。
4. 美女艳星________________的行为在美国是有先例的。

生词

歌后	gēhòu	（名）	后：国王的太太。这里用来比喻歌唱得最好的女歌手
一触即发	yíchùjífā		战争或危险的事情马上就开始
演艺圈	yǎnyìquān	（名）	圈：圈子，活动的范围。指从事表演艺术的人活动的范围
排行榜	páihángbǎng	（名）	list 榜：写着名字的牌子；排行：按高低排列。这里指一个比赛的名单，看谁更好

首位	shǒuwèi	（名）第一个
艳星	yànxīng	（名）sexy star 靠性感来表演的明星
前线	qiánxiàn	（名）front line 战场中最接近敌人的地方
鼓劲	gǔjìn	（动）to cheer 加油，让他做得更好
先例	xiānlì	（名）precedent 以前已经有这样的例子

补充阅读 6

"仁政"和"暴政"

以前中国人虽有一句话，说"人命关天"，其实，人命关不关天，看发生在谁身上。如果说发生在我身上，我要打死一个人的话，当然关天。但如果凶手是有权势的人，人命又算得什么？所以还是要看这关系到谁的问题。古代的圣人还有一句话，说："民为贵，君为轻"，这不过是一种理想，在中国从没有实现过。以前的封建时代，一个王朝完了，换另一个王朝，制度并没有改变。把前朝推翻，建立了新朝，唯一表示他不同于旧王朝的，就是烧房子，把前朝盖的皇宫宝殿烧掉，自己再造新的，表示自己和前一个朝代不同。他们烧前朝房子的理由，是说前朝行的是暴政，自己行的是仁政，所以"仁政"要烧"暴政"的房子。这样一代一代下来，并不能在政治思想上有任何新的建树。这使我们中国这个古老的国家，几千年竟没有留下来几栋古老建筑。

（节选自台湾作家柏杨 1981 年 8 月 16 日在美国纽约的演讲）

练习

一、根据课文内容填空：

1. 以前的中国，有权势的要是打死一个人的话会怎么样？____________________。
2. 以前的中国，新王朝表示和旧王朝不同的方法是：____________________。
3. 以前的中国，新王朝说前朝行的是暴政，自己行的是____________________。

生 词

人命关天	rénmìng guāntiān	人的生命是最重要的。
民为贵，君为轻	mín wéi guì jūn wéi qīng	民：人民；君：皇帝，国王。人民比皇帝、国王更重要
制度	zhìdù	（名）system 这里说的是一整套的政治系统和管理方法
暴政	bàozhèng	（名）tyranny 坏的、残酷的政治制度
仁政	rénzhèng	（名）好的、关心人的政治制度
建树	jiànshù	（名）新的发现，新的创造

补充阅读 7

空难

7月1日，俄罗斯一架图—154客机和敦豪国际快递公司的波音757货机在瑞士上空发生碰撞，两架飞机上的人员全部遇难。现在，事故的原因已经基本清楚。

大约在事故发生前两分钟左右，德国空管部门的值班人员发现在同一地方、同一高度飞行的两架飞机不断接近。从雷达上看，两架飞机的驾驶员并不知道这个危险情况，似乎也没有收到地面的任何提示。此时，德国空管感到，如果两机不马上分开，随时可能发生碰撞。但是，此时负责飞机的空中导航的是邻近的瑞士空管站，德国空管无法直接干预，只能打电话通知对方。但不巧的是，连接两个空管站的4条电话线，哪个也打不通，德国这边只能眼看着两架飞机越来越近，最后撞到一起。当时，瑞士空管站关闭了3条电话线，第4条当时一直占线。

假如瑞士和德国空管部门之间的4条电话线有一条是通的，瑞士方面也会提前接到德国同行的提醒，就可以避免这场空难。

（改写自《中国青年报》）

练习

根据课文内容填空：

1. 发生空难的是________________和________________。
2. 发现两架飞机不断接近的是________________。
3. 瑞士空管站__________了3条电话线，第4条当时__________。

生 词

空难	kōngnàn	（名）空：航空；难：灾难。指飞机发生重大事故
碰撞	pèngzhuàng	（动）to run into 两个物体很快很猛地碰到一起
遇难	yùnàn	（动）遇到灾难死亡了
空管	kōngguǎn	（名）航空管理
雷达	léidá	（名）radar
干预	gānyù	（动）to intervene, to meddle 去管别人的事情
占线	zhànxiàn	（动）the line's busy 电话线忙，打不通

补充阅读 8

中国的城市化

世界银行认为：国家GDP达到1万亿美元是一个台阶，说明财富积累到了新的水平。跟国际上其他国家对比：美国的GDP总量在1970年达到1万亿美元，在10年后的1980年，GDP总量达到2.7万亿美元；日本的GDP总量在1978年达到了1万亿美元，其后的10年中GDP总量达到2.4万亿美元；中国的GDP总量在2000年达到了1万亿美元，按照中国的规划，在后10年，预计GDP再增加1万亿美元。为什么美国用了10年的时间使GDP增长了1.7万亿美元，日本增长了1.4万亿美元，中国分别比他们少增长0.7万亿和0.4万亿美元？

有专家认为，原因可能是多方面的，但是如果注意到美国当时的城市化率超过87%，日本的城市化率超过65%，而中国的城市化率仅为36%时，就不难理解这是因为城市化率不同的结果。

美国经济学会会长盖尔·约翰逊曾专门研究了中国的城乡问题。他指出："日本经济起飞的过程中，农业人口下降了65%；美国经济起飞过程中，农业人口下降了72%；而中国在1985～1995年间，从农业人口转移出去的人口，即使包括临时流动的人口在内，也不超过10%，这将大大限制中国经济总量的进一步扩大。

（改写自"中国城市发展网" 牛文元）

练习

判断正误。

1. （　）20世纪七八十年代，日本的GDP比美国高。
2. （　）中国2000年的GDP美国四十年以前就达到了。
3. （　）中国GDP从一万亿美元到二万亿美元的速度没有日本快。
4. （　）八十年代美国的农民只有10%左右。
5. （　）日本八十年代后期城市人口超过65%。
6. （　）中国农村人口占了36%。
7. （　）似乎城市化率高的国家经济水平也高。

生词

城市化	chéngshìhuà	（动）	citify 使农村变成城市的过程
台阶	táijiē	（名）	stage 这里说的是发展阶段
财富	cáifù	（名）	wealth 钱和物质
规划	guīhuà	（名）	project 计划
转移	zhuǎnyí	（动）	to transfer 移动到别的地方
临时	línshí	（形）	temporary 暂时的，不长久的
流动	liúdòng	（动）	to stream, to flow 不固定在一个地方
限制	xiànzì	（动）	to limit 不让它自由地活动

补充阅读 9

手提袋救了雅典女市长

希腊首都雅典新选出的女市长多拉·巴科扬尼13日遭精神病人枪击，幸亏她的手提袋救了她一命。

警方说，当时巴科扬尼乘坐的专车停在雅典市中心政府办公室附近，有精神病史的男子乔治·桑德里斯用猎枪从后面向她开枪，幸运的是就在那个时候她正弯下腰去拿她的手提袋，只是被碎玻璃轻微擦伤。

巴科扬尼的前夫1989年被希腊恐怖组织“11月17日”暗杀。不过，希腊政府发言人说，巴科扬尼12日遭到的袭击与“11月17日”组织无关，也不像任何恐怖分子发动的袭击。

现年35岁的桑德里斯当场被逮捕。警方说桑德里斯有明显的精神病症状，1997年雅典法院曾下令把他送进精神病医院接受治疗。

现年48岁的多拉·巴科扬尼是希腊前总理康斯坦丁诺斯·米佐塔基斯的长女。她从1989年起当选议员，今年10月当选雅典市市长，这是雅典历史上第一位民选的女市长。她将于明年1月正式上任。

（摘自“新浪网”）

练习

根据课文内容填空：

1. 枪击雅典女市长的是一个＿＿＿＿＿＿，叫乔治·桑德里斯，今年＿＿＿＿岁。
2. 乔治·桑德里斯向多拉·巴科扬尼开枪时，她正＿＿＿＿＿＿＿＿＿＿＿＿。
3. 雅典女市长多拉·巴科扬尼家以前被杀死的是她的＿＿＿＿＿＿＿＿＿＿＿＿。
4. 雅典女市长多拉·巴科扬尼是雅典历史上第一位＿＿＿＿＿＿＿＿＿＿＿＿。

生 词

幸亏	xìngkuī	（副）	fortunately 很幸运地
恐怖	kǒngbù	（形）	terror 可怕的
分子	fènzǐ	（名）	一个组织、种类的人。如“恐怖分子、知识分子”等
袭击	xíjī	（动）	to make a surprising attack 突然的打击
逮捕	dǎibǔ	（动）	to arrest 抓人
症状	zhèngzhuàng	（名）	symptom 病的情况
议员	yìyuán	（名）	legislator 议会成员
上任	shàngrèn	（动）	去担任一个职务

补充阅读 10

夫妻吵架和离婚

美国著名脱口秀节目主持人菲尔·麦克格劳博士说：“如果你想知道一对夫妻会不会离婚，只要看他们平时吵架的方式就能知道了。”他说，他的判断有90%的准确率。

曾经有一对夫妻同意让《菲尔博士》节目到他们家里去拍他们的生活，菲尔·麦克格劳博士看了他们吵架之后马上断定，如果这对夫妻不能马上改变自己的行为方式，那么他们很快就要离婚了。原因是什么呢？麦克格劳说，这对夫妻无论是为了衣着、金钱、家庭还是其他任何问题都能发生争吵，而且吵架方式每次都是一样的，这表示他们实际上根本不为什么就能吵架。

麦克格劳说，吵架当然是释放紧张心理的一种方式，这对夫妻关系其实也是有好处的，但必须是：

一、就事论事，不翻老账。

二、夫妻吵架应该限定一个时间。

三、不要互相指责。

夫妻双方都应该明白，吵架是大家的问题，不是你的或者我的问题。如果不是这样，他们就真的要离婚了。

（改写自“人民网”）

练习

判断正误。

1. （　）菲尔·麦克格劳博士说他从夫妻吵架的方式就能知道他们会不会离婚。
2. （　）让《菲尔博士》节目到他们家里去拍他们的生活的夫妻不会因为什么都吵架。
3. （　）菲尔·麦克格劳博士认为夫妻吵架是不正常的。
4. （　）夫妻吵架时要是认为这是双方的问题，他们就真的要离婚了。

生词

吵架	chǎojià	（动）	to quarrel 语言发生激烈的冲突
脱口秀	tuōkǒuxiù	（名）	talking show 音译，电视、电台的谈话节目
判断	pànduàn	（动）	to judge 对事物做出评判
释放	shìfàng	（动）	to release 让它出来
紧张	jǐnzhāng	（形）	nervous 心里不放松，不平静
心理	xīnlǐ	（名）	psychology, mentality 人心里的活动
就事论事	jiùshìlùnshì		只讨论事情本身，不说别的
翻老账	fān lǎozhàng		把以前一些不好的事情再拿出来说
指责	zhǐzé	（动）	to rebuke 批评

补充阅读 11

斯大林的死亡时间

按照苏联政府的说法，斯大林是1953年3月1日在莫斯科沃沦斯基别墅患了中风，4天后，即3月5日逝世。然而，当年曾在斯大林身边工作过的根纳季·科洛缅采夫最近说，实际上斯大林在5日之前就已经去世。

科洛缅采夫在警卫总局一直工作了38年，负责过所有苏联领导人，从斯大林到戈尔巴乔夫的饮食安全。日前他在俄罗斯《论据与事实》上发表了一篇文章，文章说：

斯大林在卧室的时候，如果需要别人来，他会按铃叫人。没有按铃谁也不许走到他的旁边。可是，就在他死去的这天夜里，既没有铃声，也没有其他动静。早晨起床的时间到了，10点、11点……，什么声音也没有。平常这个时候斯大林早就起床，而且刮了胡子。警卫人员急了，赶快向警卫总局打电话。警卫总局派人来到别墅，打开房门，只见斯大林躺在沙发床旁边的地板上，像在睡觉。他已经死了。

几天之后政府宣布了斯大林逝世的消息。

根纳季·科洛缅采夫这个说法跟政府的说法不一样，到底谁说的是真的呢？

（改写自《北京晨报》 金学耕）

练习

根据文章选择正确答案：

1. 根纳季 · 科洛缅采夫是：
   A.苏联政府的高级官员　　B.斯大林的医生
   C.负责斯大林保安的官员　　D.《论据与事实》报的记者

2. 从文章中我们可以了解到：
   A.斯大林的去世时的年龄　　B.斯大林的业余爱好
   C.斯大林的一些生活情况　　D.斯大林的饮食习惯

3. 从文章中我们可以了解到：
   A.斯大林去世时真实时间
   B.苏联政府的说法是正确的
   C.根纳季·科洛缅采夫的说法是正确的
   D.斯大林住过科沃沦斯基别墅

生 词

患	huàn	（动）得病
中风	zhòngfēng	（动）to suffer apoplexy 一种病
逝世	shìshì	（动）死了，委婉的说法
负责	fùzé	（动）to take charge of 主要的工作是做这个
按	àn	（动）to press 用手向下压
铃	líng	（名）bell 一种会发出声响的器具
动静	dòngjing	（名）活动的情况
刮	guā	（动）to shave
胡子	húzi	（名）男人脸上的毛

补充阅读 12

向槟榔说不

每年的12月3日是台湾独有的“槟榔防治日”。这个特别的日子是1997年开始的，目的是号召台湾民众不要再嚼槟榔。嚼槟榔文化已导致了包括口腔癌增加、环境卫生污染在内的一系列社会问题。

生长于热带的槟榔树，其纤维丰富的果实可供嚼食。嚼槟榔据说可以“提神”，最初嚼槟榔最多的是开夜车的货车司机和台湾南部的体力劳动者。但现在，越来越多的年轻人抵挡不住嚼食槟榔“热辣辣感觉”的诱惑。一项针对台湾18岁以下学生嚼槟榔习惯的调查指出，曾嚼过槟榔的男性职业高中生达19%、高中生为7.5%、初中生12%，女生的比例则分别为0.5%、1%和1%。

台湾大学医学院名誉教授韩良俊通过研究发现，有嚼食槟榔习惯的民众，口腔癌致癌的机会是正常人的28倍；嚼食槟榔又有喝酒习惯的，致癌机会是一般正常人的54倍；嚼食槟榔又抽烟的，致癌机会是一般正常人的89倍；嚼槟榔、喝酒加抽烟的，致癌机会则是正常人的123倍。

韩良俊教授语重心长地奉劝大家：“嚼槟榔对健康有大危害，应及早戒除方为上策！”

（“央视国际” 2002年12月03日）

练习

根据课文内容填空：

1. ________________这个特别的日子是1997年开始的。
2. 嚼槟榔最大的社会问题是________________和________________。
3. 最初嚼槟榔最多的是________________和________________。
4. 曾嚼过槟榔的男性职业高中生、高中生、初中生分别是________、________、________。
5. 嚼槟榔、喝酒加抽烟的，致癌机会则是________________的123倍。

生词

槟榔	bīngláng	（名）	betel nut 一种植物的果实，可以吃
嚼	jiáo	（动）	to chew 在口里用牙咬
口腔	kǒuqiāng	（名）	oral cavity 嘴里边的部分
癌	ái	（名）	cancer 一种病，身体长的肿瘤
诱惑	yòuhuò	（动）	to lure, to tempt 让人觉得好而被吸引
戒除	jièchú	（动）	to give up 放弃不好的习惯，不再做了
上策	shàngcè	（名）	best strategy 最好的方法

补充阅读 13

练习

在文章中找答案：

1. 白族三道茶如今成了白族人民__________________。
2. 白族三道茶分别是__________，__________，__________。
3. 第二道茶里的材料有__________________。
4. 第三道茶喝起来__________________什么味道都有，回味无穷。

白族三道茶

白族三道茶当初只是白族用来作为求学、学艺、经商、婚嫁时，长辈对晚辈的一种祝愿。如今，应用范围已日益扩大，成了白族人民喜庆迎宾时的饮茶习俗。

白族三道茶，以前，一般由家中或族中长辈亲自倒茶。现今，也有小辈向长辈敬茶的。制作三道茶时，每道茶的制作方法和所用原料都是不一样的。

第一道茶，称之为“清苦之茶”，味道偏苦，这寓意做人的哲理：“要想成功就要先吃苦”。

第二道茶，称之为“甜茶”。当客人喝完第一道茶后，主人重新煮茶，与此同时，还得在茶碗内放入少许红糖、乳扇、桂皮等。茶大概是八分满。

第三道茶，称之为“回味茶”。煮茶方法相同，只是茶碗中放的原料已换成适量蜂蜜，少许炒米花，若干粒花椒，一撮核桃仁。茶通常是六七分满。这杯茶，喝起来甜、酸、苦、辣，什么味道都有，回味无穷。它告诫人们，凡事要多“回味”，切记“先苦后甜”的哲理。

（改写自“中华美食网”）

生词

白族	Báizú	（名）	一个生活在中国云南大理地区的民族
长辈	zhǎngbèi	（名）	比自己老的人
寓意	yùyì	（名）	implied meaning 没有公开说出来的意思
原料	yuánliào	（名）	raw material 做一个东西的材料
哲理	zhélǐ	（名）	philosophic theory 有哲学意味的道理
吃苦	chīkǔ	（动）	to bear hardships 经受苦难
回味无穷	huíwèiwúqióng		aftertaste 事情发生以后可以想很多次，觉得很有意思
告诫	gàojiè	（动）	to admonish 严肃地告诉别人应该怎样做

补充阅读14

拿破仑

1815年，反法联盟70万大军分成5路向法国进攻。法军只有30万兵力，拿破仑认为30万人坐在那里等敌人来进攻是不行的，他决定用进攻来代替防守，打败反法联盟。

滑铁卢的田野开阔而平整，上面种满了庄稼，小麦、大麦、大豆、豌豆、马铃薯、萝卜等都长得绿油油的。两条大道在田野中伸向远方。整个滑铁卢一片宁静、祥和。然而，自6月18日早晨开始，这里的宁静气氛就不存在了。滑铁卢集中了拿破仑的72000名士兵， 240门火炮，敌方英荷兵团则有68000人，火炮160门。

18日上午8时，拿破仑与高级将领们一起吃早餐。他充满信心地对他的将领们说："对我们有利的机会不下于百分之九十，而不利的机会则不到百分之十。有将领提醒拿破仑要注意惠灵顿时，他尖刻地说："因为你们曾被惠灵顿打败，所以你们就认为他是伟大的将领。现在告诉你们，惠灵顿不是一个好的将领，英军也不是一支好的部队，要打败他们并不比吃一顿早餐困难。"

可是，战争最后的结果是：法国军队被彻底击败了。

6月21日，拿破仑逃回了巴黎。随后，他退位了，最后被英国政府流放到圣赫勒拿岛。

1821年5月5日下午5点50分，圣赫勒拿岛的太阳落山了，拿破仑也停止了呼吸。

练习

判断正误。

1.（ ）在滑铁卢有反法联盟的70万大军和拿破仑的30万兵力。
2.（ ）滑铁卢是山区。
3.（ ）滑铁卢战斗开始以前拿破仑就觉得这场仗很难打。
4.（ ）惠灵顿是英国将军。
5.（ ）滑铁卢战斗的结果是反法联盟失败了。
6.（ ）拿破仑最后死在法国巴黎。

生词

联盟	liánméng	（名）	alliance 为了一个共同的目标联合起来
防守	fángshǒu	（动）	to defense 在敌人的进攻中用一个办法保护自己
打败	dǎbài	（动）	to defeat 在斗争中取得胜利，让敌人失败
气氛	qìfēn	（名）	atmosphere 一种环境，一种感觉
将领	jiànglǐng	（名）	general 军队的领导
尖刻	jiānkè	（形）	acrimonious 很不友好，很小气
退位	tuìwèi	（动）	从领导的位置上退下来
流放	liúfàng	（动）	to expatriate 因为犯罪被放到很远的地方不能回来
呼吸	hūxī	（动）	to breathe 身体呼出和吸入空气

补充阅读15

直接打印数码照片

用数码相机拍完照后不用通过电脑,直接和打印机连接就能打印,这在今年夏天就有可能实现。佳能、富士胶卷、美国惠普、奥林巴斯光学工业、精工爱普生以及索尼6家公司为解决数码照片打印的困难,联合发表了新标准“DPS”。今后,不论是什么数码相机和打印机,只要是在支持DPS标准的设备之间,通过USB连线,就可以不需经过个人电脑直接进行打印,比以前方便多了。

有调查说,数码相机用户每年平均拍大约800张照片,但其中打印成照片的仅65张,只占8%。很多人只是把拍的图像存入电脑的硬盘中就算是完成。其中一大原因也许是因为数码相机可直接在照相机或电脑上看图像;但是,“通过电脑进行打印太麻烦”却是最主要原因。不需通过个人电脑,可以直接从数码相机打印的产品数年前就已开始销售。但是,各个公司的标准不同,能够连接数码相机与打印机的组合极其有限。例如,使用精工爱普生的打印机“PM－860PT”,可以通过USB连线直接打印的数码相机只有三洋的“DSC－AZ3”、宾得的“OPTIO330GS”和松下的“DMC－FZ1/DMC－F1”3种。

所谓“DSP”即“Direct Print Service”(直接打印服务)或者“Digital Photo System”(数码照片系统)的第一个字母组成,就是通过USB连线将数码相机与打印机直接连接打印。

(摘自“北京晨报网站”)

练习

一、根据课文内容填空:

1. 6家公司联合发表“DPS”主要是为了解决__________打印的困难。
2. 数码相机用户以前很少打印,很多人只是把拍的图像________就算是完成。
3. 可以直接从__________打印的产品数年前就已开始销售。
4. 英文“DPS”翻译成汉语就是________或者________。

生 词

打印	dǎyìn	(动)	to print 用机器让文字、图画出现
数码	shùmǎ	(名)	digit
连接	liánjiē	(动)	to connect, to link 在一起
实现	shíxiàn	(动)	to come true 变成现实
设备	shèbèi	(名)	equipment 机器
连线	liánxiàn	(名)	line 连接的线路
存	cún	(动)	to store, memorize 保存
硬盘	yìngpán	(名)	hard disk 电脑中一个记录数据的部件

生词表

A

艾滋病 Àizībìng （名） 4
暗示 ànshì （动） 5

B

白白 báibái （副） 12
保存 bǎocún （动） 3
保险 bǎoxiǎn （名） 2/13
保养 bǎoyǎng （动） 14
北极熊 běijíxióng （名） 8
比例 bǐlì （名） 15
比喻 bǐyù （动） 12
避免 bìmiǎn （动） 9
别墅 biéshù （名） 9
彬彬有礼 bīnbīnyǒulǐ 7
播放 bōfàng （动） 2
不幸 búxìng （形） 13
部门 bùmén （名） 11

C

差距 chājù （名） 11
长辈 zhǎngbèi （名） 13
敞篷车 chǎngpénchē （名） 3
嘲笑 cháoxiào （动） 13
成人 chéngrén （动） 8
承担 chéngdān （动） 8
乘 chéng （动） 4
冲突 chōngtū （名） 12
出土 chūtǔ （动） 3
出息 chūxi （名） 12
串 chuàn （量） 7
创造 chuàngzào （动） 2
刺 cì （名） 13
错过 cuòguò （动） 1

D

打仗 dǎzhàng （动） 3
导游 dǎoyóu （名） 7
党政机关 dǎngzhèngjīguān （名） 11
得意 déyì （形） 15
登 dēng （动） 15
瞪 dèng （动） 10
底价 dǐjià （名） 5
凋谢 diāoxiè （动） 7
盯 dīng （动） 12
赌钱 dǔqián （动） 8

E

恩爱 ēnài （形） 6

F

发财 fācái （动） 12
发行 fāxíng （动） 11
发源地 fāyuándì （名） 5
反复 fǎnfù （副） 2
服气 fúqì （形） 5
浮躁 fúzào （形） 7
富翁 fùwēng （名） 5/15
富裕 fùyù （形） 4

G

尴尬 gāngà （形） 10
感慨 gǎnkǎi （动） 12
擀 gǎn （动） 10
高峰 gāofēng （名） 15
高贵 gāoguì （形） 7
隔壁 gébì （名） 1
公务员 gōngwùyuán （名） 11
孤单 gūdān （形） 12
孤独 gūdú （形） 5

故居 gùjū （名） 10
观测 guāncè （动） 9
广告 guǎnggào （名） 10
轨道 guǐdào （名） 9
国庆 guóqìng （名） 3

H

豪华 háohuá （名） 11
好奇 hàoqí （形） 13
黑洞 hēidòng （名） 8
厚度 hòudù （名） 3
互联网 hùliánwǎng 5
化妆品 huàzhuāngpǐn （名） 10
怀 huái （名） 9
怀疑 huáiyí （动） 14
回心转意 huíxīnzhuǎnyì 2
火灾 huǒzāi （名） 13
获得 huòdé （动） 6

J

激情 jīqíng （名） 8
级别 jíbié （名） 11
技术 jìshù （名） 2
系 jì （动） 1
夹 jiā （动） 14
夹子 jiāzi （名） 2
尖锐 jiānruì （形） 13
坚强 jiānqiáng （形） 13
降 jiàng （动） 2
节奏 jiézòu （名） 7
津贴 jīntiē （名） 11
经典 jīngdiǎn （形、名） 6
精神 jīngshén （名） 3
敬佩 jìngpèi （动） 4
竟然 jìngrán （副） 2
究竟 jiūjìng （副） 1
久居 jiǔjū （动） 9
巨大 jùdà （形） 9
军事 jūnshì （名） 3

K

开朗 kāilǎng （形） 5
恐惧 kǒngjù （名） 14
困境 kùnjìng （名） 14

L

喇叭 lǎbā （名） 2
浪漫 làngmàn （形） 7
劳累 láolèi （形） 13
冷淡 lěngdàn （形） 12
列 liè （动） 13
零食 língshí （名） 6
溜 liū （动） 1/12
流行 liúxíng （动、名） 5
笼子 lóngzi （名） 2
逻辑 luójì （名） 12

M

漫画 mànhuà （名） 10
面包车 miànbāochē （名） 2
瞄准 miáozhǔn （动） 3

N

内战 nèizhàn （名） 9
耐烦 nàifán （形） 7
溺爱 nì'ài （形） 4

P

排名榜 páimíngbǎng （名） 10
皮带 pídài （名） 1
皮肤 pífū （名） 14
平均 píngjūn （动） 4
评论 pínglùn （动） 15
凭 píng （动） 6
朴素 pǔsù （形） 7

Q

奇迹 qíjì （名） 5
旗子 qízi （名） 3
乞丐 qǐgài （名） 15

启事 qǐshì （名） 15
气概 qìgài （名） 10
气味 qìwèi （名） 12
前提 qiántí （名） 13
枪 qiāng （名） 10
枪手 qiāngshǒu （名） 3
抢劫 qiǎngjié （动） 2
侵入 qīnrù （动） 14
青春 qīngchūn （名） 13
轻轨 qīngguǐ （名） 11
清理 qīnglǐ （动） 3

R

人怕出名猪怕壮 rén pà chūmíng zhū pà zhuàng 4
如此 rúcǐ （代） 1

S

三围 sānwéi （名） 10
舍不得 shěbudé 4
设计 shèjì （动） 11
设施 shèshī （名） 11
身材 shēncái （名） 10
甚至 shènzhì （副） 4/12
盛情 shèngqíng （名） 4
失去 shīqù （动） 1
失踪 shīzōng （动） 6
时髦 shímáo （形） 9
事故 shìgù （名） 2
收藏 shōucáng （动） 11
硕士 shuòshì （名） 10
丝绸 sīchóu （名） 3
丝织品 sīzhīpǐn （名） 3
思考 sīkǎo （动） 6
随后 suíhòu （副） 12

T

潭 tán （名） 4
坦克 tǎnkè （名） 12
炭疽热 Tànjūrè 14
炭疽孢子 tànjū bāozǐ 14
提供 tígòng （动） 7
体弱多病 tǐruòduōbìng 5
天堂 tiāntáng （名） 1
舔 tiǎn （动） 15
厅 tīng （名） 11
庭院 tíngyuàn （名） 9
停顿 tíngdùn （动） 7
同化 tónghuà （动） 6
童真 tóngzhēn （名） 8
统计 tǒngjì （动） 7
统一 tǒngyī （动） 11
推广 tuīguǎng （动） 5

W

微波炉 wēibōlú （名） 14
委屈 wěiqū （形、名） 13
物业 wùyè （名） 11

X

消毒 xiāodú （动） 14
吸毒 xīdú （动） 8
吸引力 xīyǐnlì （名） 10
袭击 xíjī （动） 12
喜出望外 xǐchūwàngwài 6
系列 xìliè （名） 8
下降 xiàjiàng （动） 15
陷入 xiànrù （动） 4
馅 xiàn （名） 10
消除 xiāochú （动） 5
消毒 xiāodú （动） 14
消失 xiāoshī （动） 5
谢绝 xièjué （动） 11
心理 xīnlǐ （名） 13
心理学 xīnlǐxué （名） 5
心愿 xīnyuàn （名） 14
星座 xīngzuò （名） 8
行程 xíngchéng （名） 7
行驶 xíngshǐ （动） 2
形式 xíngshì （名） 7

宣誓 xuānshì （动） 8
选手 xuǎnshǒu （名） 6
学历 xuélì （名） 6/10
学位 xuéwèi （名） 10

Y

压力 yālì （名） 6
压岁钱 yāsuìqián （名） 13
押 yā （动） 11
艳丽 yànlì （形） 7
养老院 yǎnglǎoyuàn （名） 5
一旦 yídàn （副） 9
意识 yìshi （名） 8
印刷 yìnshuā （动） 11
优雅 yōuyǎ （形） 5
悠闲 yōuxián （形） 4
邮递员 yóudìyuán （名） 1
油画 yóuhuà （名） 15
有线电视 yǒuxiàndiànshì （名） 11
预测 yùcè （动） 15
欲望 yùwàng （名） 15
原来 yuánlái （副） 1
原始 yuánshǐ （形） 13
阅兵 yuèbīng （动） 3
熨斗 yùndǒu （名） 14

Z

崽儿 zǎir （名） 4
赞扬 zànyáng （动） 15
赠 zèng （动） 4
长辈 zhǎngbèi （名） 12
障碍 zhàng'ài （名） 13
招牌 zhāopái （名） 10
珍贵 zhēnguì （形） 11
珍惜 zhēnxī （动） 7
证据 zhèngjù （名） 9
值得 zhídé （动） 15
至于 zhìyú （连） 5
志气 zhìqì （名） 7
制度 zhìdù （名） 3
制作 zhìzuò （动） 5
治疗 zhìliáo （动） 4/13
质量 zhìliàng （名） 9
智商 zhìshāng （名） 5
中介 zhōngjiè （名） 11
皱纹 zhòuwén （名） 13
逐 zhú （动） 12
住宅 zhùzhái （名） 5
注视 zhùshì （动） 12
赚 （钱） zhuàn （动） 10
庄稼 zhuāngjia （名） 2
装修 zhuāngxiū （名） 11
壮 zhuàng （形） 4
自信 zìxìn （形） 5/13
总统 zǒngtǒng （名） 3
醉汉 zuìhàn （名） 9
座次 zuòcì （名） 5

生词附表

B

悲伤 bēishāng 3
必备 bìbèi 6
博士 bóshì 5/10
不屑一顾 búxièyígù 12

C

长途 chángtú 2
酬金 chóujīn 15
出售 chūshòu 5
处理 chǔlǐ 15
创造性 chuàngzàoxìng 10
辞职 cízhí 10
刺 cì 7

D

打盹儿 dǎdǔnr 15
低级 dījí 12
蹲 dūn 13
顿 dùn 10

F

芳香 fāngxiāng 7
防疫 fángyì 10
分居 fēnjū 12
负担 fùdān 15

G

高傲 gāoào 12
高峰 gāofēng 12
高速公路 gāosù gōnglù 2
购买 gòumǎi 5/14
购物 gòuwù 2

H

火鸡 huǒjī 6

J

及 jí 4
给予 jǐyǔ 12
家伙 jiāhuo 2
驾驶 jiàshǐ 2
肩负 jiānfù 13
捡 jiǎn 15
践踏 jiàntà 13
敬佩 jìngpèi 13
剧痛 jùtòng 13
绝望 juéwàng 9

K

开火 kāihuǒ 12
酷 kù 6
酷热 kùrè 7

L

癞蛤蟆 làihámа 6
林业 línyè 13
零碎 língsuì 6
骆驼 luòtuo 6

M

媒体 méitǐ 14
面临 miànlín 14
名单 míngdān 5

N

内在 nèizài 7
女性化 nǚxìnghuà 10

P

迫不及待 pòbùjídài 15
破费 pòfèi 2

Q

乞讨 qǐtǎo 15
枪战 qiāngzhàn 12
亲情 qīnqíng 9
青蛙 qīngwā 6
轻视 qīngshì 13
倾听 qīngtīng 6
情调 qíngdiào 15

R

忍心 rěnxīn 4

S

傻瓜 shǎguā 13
舍不得 shěbudé 4
身价百倍 shēnjiàbǎibèi 15
甚至 shènzhì 15
实验 shíyàn 5
屎 shǐ 7
士兵 shìbīng 12
逝去 shìqù 13
司机 sījī 2

T

逃跑 táopǎo 10
天长日久 tiānchángrìjiǔ 13
吞噬 tūnshì 9

W

围观 wéiguān 2
吻 wěn 7
问世 wènshì 14
乌龟 wūguī 6
无家可归 wújiākěguī 9

X

稀少 xīshǎo 13
系统 xìtǒng 13
下流 xiàliú 12
小心翼翼 xiǎoxīnyìyì 13
心爱 xīn'ài 7
心动 xīndòng 13
形影不离 xíngyǐngbùlí 12
性别 xìngbié 2
悻悻 xìngxìng 2
凶恶 xiōng'è 2
血液 xuěyè 13
寻 xún 15
循环 xúnhuán 13

Y

压力 yālì 13
痒 yǎng 15
欲 yù 4
运行 yùnxíng 9

Z

真相 zhēnxiàng 5
蒸汽 zhēngqì 14
重大 zhòngdà 2
重任 zhòngrèn 13
舟 zhōu 4
总裁 zǒngcái 14

图书在版编目（CIP）数据

阶梯汉语．中级阅读．第1册／周小兵主编．—北京：华语教学出版社，2004
ISBN 978-7-80052-978-8

Ⅰ.阶…　Ⅱ.周…　Ⅲ.汉语—阅读教学—对外汉语教学—自学参考资料　Ⅳ.H195.4

中国版本图书馆CIP数据核字（2004）第041995号

阶梯汉语·中级阅读

（第1册）

丛书主编　周小兵

组　　稿：单　瑛
责任编辑：曲　径
封面设计：石　宏
印刷监制：佟汉冬

*

华语教学出版社出版
（中国北京百万庄大街24号　邮政编码100037）
电话：(86)10-68320585
传真：(86)10-68326333
网址：www.sinolingua.com.cn
电子信箱：hyjx@ sinolingua.com.cn
北京外文印刷厂印刷
中国国际图书贸易总公司海外发行
（中国北京车公庄西路35号）
北京邮政信箱第399号　邮政编码100044
新华书店国内发行
2004年（大16开）第一版
2009年第一版第四次印刷
（汉英）
ISBN 978-7-80052-978-8
定价：38.00元